시 민 과 학 자,
새를 관찰하다

사계절 감성 탐조

시민과학자, 새를 관찰하다

펴낸날 | 2020년 10월 30일 초판 1쇄
          2021년 5월 31일 초판 2쇄
지은이 | 조병범

펴낸이 | 조영권
만든이 | 노인향, 백문기
그린이 | 방윤희
꾸민이 | ALL contents group

펴낸곳 | 자연과생태
주소 | 서울 마포구 신수로 25-32, 101(구수동)
전화 | 02) 701-7345~6   팩스 | 02) 701-7347
홈페이지 | www.econature.co.kr
등록 | 제2007-000217호

ISBN | 979-11-6450-025-3   03490

• 이 도서는 한국출판문화산업진흥원의 '2020년 우수출판콘텐츠 제작 지원'
  사업 선정작입니다.

사계절 감성 탐조

시민과학자,
새를 관찰하다

조병범 지음

자연과생태

짝사랑을 앓는 소년처럼

숨이 턱, 막히는 경험을 가끔 합니다. 느닷없이 만나는 아름다움에 놀라는 경험을 젊어서는 자주 했지만 한동안 잊고 지내다 새를 보면서 다시 경험했습니다. 2013년 초여름이었습니다. 버스에서 내려 걸어가는 출근길. 정류장에서 일터까지 불과 3분밖에 걸리지 않는 거리지만 강렬한 햇살 때문에 땀방울이 돋아나려고 했습니다. 보행로 오른쪽에 있는 습지에서 바람이 살랑댔습니다. 반갑게 바람을 맞으며 습지에 눈을 두니 거기 아기 오리 열한 마리가 한 줄로 나아가고 있었습니다. 물 위를 빠르게 미끄러져 가는 어미 흰뺨검둥오리를 따라 헤엄치는 앙증맞은 아기 오리 무리라니! 초록 풀숲에서 건너편 초록 풀숲으로 나아가는 흰뺨검둥오리 가족을 보고 숨이 턱, 막혔습니다. 흰뺨검둥오리는 습지에 사시사철 있었지만 일터를 다닌 지 몇 해가 지나서야 발견했습니다. 흰뺨검둥오리가, 새가, 내게 찾아왔습니다.

흰뺨검둥오리를 발견하니 다른 새가 보였습니다. 겨울날, 안개 자욱한 이른 아침에 날개가 서로 부딪힐 만큼 빽빽하게 습지를 채운 수천 마리 기러기와 오리 떼를 만났습니다. 한꺼번에 수십 마리씩 끼룩 끼루룩 소리를 내며 물을 박차고 하늘로 날아오르던 모습에 숨이 턱, 막혔습니다. 파란 하늘을 배경으로 흰 대백로 열한 마리가 빙글빙글 원을 그리며 신나게 춤추는 모습을 넋 놓고 올려다봤습니다. 봄마다 찾아와 새끼를 치는 개개비, 쇠물닭, 덤불해오라기 등을 가슴 졸이며 지켜봤습니다. 새가 있는 습지가 마음속에 자리 잡으면서 사무실로 출근하기 전에 습지를 둘러봤습니다. 퇴근할 때 둘러보기도 합니다. 그러고는 기록했습니다. 새를 기록하는 일은 대부분 바로 이곳 돌곶이습지에서 이루어졌습니다.

습지를 벗어나 집 근처 고양생태공원도 가끔 찾습니다. 파주삼릉과 공릉천에
도 갑니다. 새를 좋아하는 사람들과 함께 멀리 떠나기도 합니다. 우리나라 도
처가 새가 살아가는 귀한 터전입니다. 새와 함께하는 시간이 늘어나면서 새
가 삶의 중심으로 들어왔습니다. 새를 먼저 보고 알려 준 김석민 이병우 정용
훈 양경모 권찬수 조성식 박건석 백원희 선생님을 비롯한 '새와 사람 사이' 동
아리 회원들 그리고 도감과 생태 작가들 덕분입니다. 그러나 아직도 새에 관해
아는 것보다 모르는 게 더 많습니다. 그러니 앞으로도 짝사랑을 앓는 소년처럼
새를 만나며 숨이 턱, 막히는 경험을 이어 가고 싶습니다. 그 길에 책을 든 당신
이 함께한다면 덩싯덩싯 춤을 추겠습니다.

책을 만드느라 애쓴 자연과생태 편집장님과 대표님, 디자이너, 따스한 그림을
그려 주신 방윤희 작가님, 보이지 않는 곳에서 도와 준 분들, 일터 동료들과 김
영미 조해인 조현서에게 고마운 마음을 건넵니다.

2020년 겨울 철새를 맞이하며
조병범

차례

봄

여름

차례

가을

겨울

봄입니다

꽃보다 먼저 봄을 알린다

산 정상에서 쪼리리리 노래한다

큰 눈이 지상을 하얗게 덮어 버리고
바람까지 쌔앵 쌩 부는 산봉우리
추위와 배고픔을 의연하게 통과하는
그때 맞이하면 더 좋았겠지만
떠나기 전에 보고 싶어 부랴부랴 찾았다.

새벽은 아직 영하의 날씨이지만
햇살 따스하고 바람 없는 산 정상에서
쪼로로쫏 소리 내며 내려앉더니
땅바닥 먹이를 산책자처럼 쪼아 먹는다.
콧노래를 부르듯 낮고 가벼운 소리를 내며
이곳 왔다 저곳 갔다 돌아다니더니
근처 소나무 가지에 날아올라
쪼리리리리리리 쪼리리리리리리
쪼리리리리리리 쪼리리리리리리
여리나 높고 가벼운 목소리로 노래한다.

산 정상에 오른 기념으로 사진을 찍느라
떠들썩하게 웃고 떠드는 사람들
아랑곳하지 않고 바위종다리가 노래한다.
곧 고향 갈 생각에 들뜬 것인지 자기 소리에
집중하다 훌쩍 날아올라 정상 너머로 날아간다.

하늘에 똥을 찍 누고 간다

가을에 왔던 개리가
날이 따스해지자 떠나간다.
고향으로 신나게 돌아가는 그들을
기꺼운 마음으로 보내야 하겠지만
함께하던 그들을 당분간 못 본다 싶으니
허전한 마음이 먼저 달려든다.
그곳의 날이 차갑고 먹이가 적어지면
다시 오련만 만남이 아득하게 여겨진다.

아니, 똥이다!

내 마음을 읽었는지
어림없다는 듯 무리 중 한 마리가
똥을 갈기며 날아간다.
날아가면서도 똥을 누는 새
그저 무게가 없는 흰 빛
지상에는 흔적조차 없을 똥을
내갈기고 가볍게 날아가는 새
미련 없다는 듯이 할랑할랑 날아간다.

그래, 빛이다!

남쪽에서 이미 나무 가득 핀 홍매화며
노랗게 꽃망울을 터뜨리기 시작한 산수유
만개한 봄맞이꽃 소식이 올라온다.
덕분에 봄이 먼저 가슴에 왔다.
습지는 버드나무에 물이 올라와
노란 기운이 움트고 있을 뿐
봄이라기에는 아직 이른데
겉옷을 벗고도 춥지 않으니
바야흐로 봄이 오고 있기는 하다.

검은머리쑥새 _____

꽃보다 먼저 봄을 알린다

습지 갈대밭은 검은머리쑥새 세상이다.
바닥 쪽에서 주로 움직이다 보니
눈에 잘 띄지 않지만
자세히 보니 백여 마리는 될 듯하다.
겨울이 되어 남쪽으로 온 철새로
고향으로 돌아가는 길에 먹이를 보충하려고
잠깐 머물고 있다.
그러고 보면 계절 변화를 그 누구보다
먼저 알려 주는 전령은 꽃보다 새다.

방울새 ———

또르르르 봄을 굴린다

또르르르르

또르르르

또르르르

방울 구르는 소리가

울려와서 쳐다보니

귀룽나무 꼭대기에 방울새 한 마리

해를 향해 의젓하게 앉아

겨울에서 봄을 굴린다.

한참을 해바라기하더니

도로 건너편 벚나무로 훌쩍 날아간다.

거기에는 방울새

여섯 마리가 나뭇가지에

제각기 흩어져 앉아 있다.

이제 막 돋아나는

새순을 따 먹고

측백나무 잎을

뜯어 먹기도 한다.

이곳저곳에서

봄을 굴리는 합창을 한다.

또르르르르 또르르르 또르르르

쇠붉은뺨멧새 _____

봄소식처럼 앉아 있다

쪼빗 쪼빗 쪼빗 쪼빗 박새
찌찌뽀 찌찌뽀 쇠박새
찌지찟 찌지찟 오목눈이
작은 새들 목소리 높여 지저귀는 소리가
봄이 성큼 왔다고 알린다.
참새와 노랑턱멧새 소리 드높고
붉은머리오목눈이 무리가 지저귀며
딱새 암수 함께 자주 보이고
까치가 여러 곳에 둥지를 짓는다.
바야흐로 텃새가 새끼 칠 준비를 한다.

겨울 철새 아직 남아 있고
여름 철새와 나그네새도 보인다.
뺨이 불그죽죽 물들어 있는 쇠붉은뺨멧새는
몸집이 멧새 중 가장 작다.
버드나무 줄기에 물이 올라와
노란 기운이 흐르는 나뭇가지에
봄소식처럼 홀로 앉아 있다.
네팔 인도 대만 같은 남쪽에서
겨울을 나고 머나먼 이곳까지
힘든 여정을 거쳐 봄을 찾아왔다.

습지를 꽉 채우던

수천 마리 기러기와 오리 떼가 빠지자

내 가슴 한쪽도 텅 빈 듯하다.

좀 더 자세히 습지를 살펴보게 되고

비로소 작은 새들

흰뺨오리 쇠오리 논병아리 같이

덩치가 작은 물새들을

오래 바라보게 된다.

습지 갈대밭이나 둔치 버드나무를

오가는 텃새 작은 산새에게 마음을 둔다.

겨울 철새 노랑지빠귀는

대부분 무리 지어 사는데

어찌된 일인지 겨울 지나 이른 봄까지

홀로 습지를 떠나지 않고 있어

더욱더 눈과 마음이 간다.

노랑지빠귀 _____

이른 봄까지 홀로 꿋꿋하다

갈대 줄기 하나
두 발로 잡고 앉아
두리번거리는 검은딱새
먹이를 찾거나 경계하는 몸짓이다.

갈대가 휘지 않을 정도로 가볍지만
애벌레를 주로 잡아먹는 육식성으로
눈에 띄는 깃털 색깔
갈대밭을 환하게 물들인다.

갈대밭을 환하게 물들인다

몸무게는 12그램에서부터 16그램까지다.
새는 무거운 턱도 없고
뼈도 텅텅 비어
언제 어디서든 가볍게 날기에 알맞다.

날기 위해서
아무것도 갖지 않는 새
몸을 가볍게 하기 위해
먹자마자 똥을 내보낸다.

갈대 하나가 휘청, 움직인다.
바람도 없는데 움직이는 것을 보니
새가 있는 것이 분명하다.
눈을 부릅뜨고 살펴보니
참새보다 훨씬 작고 여린 몸집이다.

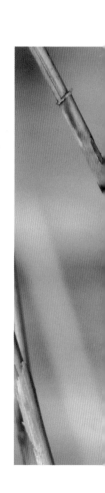

몸 아랫면은 흰색 바탕에 엷은 연황색이라
갈대 줄기와 구분하기 쉽지 않다.
갈대를 한동안 붙잡고 있더니
잠시 버드나무 가지로 올라온다.
이마에서 눈 뒤까지 검은색 눈선이 뚜렷하다.

나그네새고
드물게 찾아오는 겨울 철새다.
갈대와 떨기나무가 자라는
물가를 좋아하고
작은 무리를 이루어 이동한다.

갈대 줄기에 수직으로 달라붙어
껍질을 벗겨 내고
애벌레를 잡아먹거나
식물 줄기에 붙은 진딧물을 먹는다.
부리가 좁고 뾰족하며 작다.

눈썹이 얼굴의 반이다

스윈호오목눈이

호기심 많은 개구쟁이 같다

꼬마물떼새

4월 습지에는 철새가 별로 없다.
겨울 철새가 대부분 떠나고
여름 철새가 아직 오지 않아서다.
그래도 자세히 보면 꽤 볼 수 있다.
개리가 백여 마리나 흩어져 있고
겨울 철새 노랑부리저어새 여럿이며
넓적부리 논병아리 삑삑도요 꺅도요
개똥지빠귀 노랑지빠귀 쑥새가 머물고 있다.
나그네새 스윈호오목눈이도 바쁘게 다니고
여름 철새 저어새도 보이며
지난주부터 어여쁜 꼬마물떼새가 있다.

물떼새 가운데 몸집이 가장 작다.
참새랑 비슷한 크기 물새라서
쪼르르 쪼르르 달리는 것을 보면
호기심 많은 개구쟁이 같다.
작지만 수천 킬로미터를 날아와
번식지를 찾을 만큼 용기가 있고
새끼가 위험한 상황에 처하면
다친 척하며 천적을 다른 곳으로 이끄는
지혜를 갖고 있기도 하다.
몸 붙여 한 방향을 바라보며
짝짓기하는 모습은 귀엽기 그지없다.

유리딱새 _____
꼬리로
봄기운을
부채질한다

나무에 물오르고 꽃 피어날 때에
하늘을 뿌옇게 덮은 미세먼지
봄을 알리는 새가 너무 오지 않았다.
기다림이 걱정으로 바뀐 뒤에야
생일에 받는 종합 선물처럼 찾아왔다.

물을 휘젓고 다니는 저어새 일곱 마리
중대백로 무리에 중백로와 쇠백로
쪼르르 달리기하는 꼬마물떼새 무리
깍도요는 고개를 물에 넣었다 뺐다 몸을 씻고
삑삑도요 한 마리 뿔뿔거리며 다닌다.

갈대밭에는 붉은머리오목눈이와 스윈호오목눈이
검은딱새가 가볍게 날아다닌다.
후투티가 잔디밭에서 애벌레를 잡아먹고
제비가 하늘을 빠르게 날아다녀
가슴을 탁 트이게 한다.

연두 봄빛 물든 둔치 버드나무
유리딱새 암컷 한 마리 날아온다.
꼬리를 위아래로 흔들면서
봄기운을 부채질하는 풍경에 이르러
비로소 나무와 새 모두 온전한 봄날이다.

장다리물떼새 _____

분홍 긴 다리로
경중경중
걷는다

완연한 봄인가 싶은데
북서풍이 심술을 부린다.
구름마저 잔뜩 끼어 어둑신한 습지
물결이 한쪽으로 자꾸 밀린다.
환한 분홍빛 다리에
늘씬한 장다리물떼새가 걷고 있다.
황오리와 넓적부리가 한쪽에서 쉬고
쇠오리가 물가에 부리를 박고 있는데
그들과 떨어져 홀로 소리 없이
경중경중 걷다가 부리를 물속으로
콕콕 찍고 다시 두세 걸음 경중경중
걷다가 부리를 물속으로 콕콕
리듬을 타듯 먹이를 찾는다.
발밑에 물고기가 지나는지
화들짝 놀라 펄쩍 뛰었다가
아무 일도 없었다는 듯이 다시
경중경중 콕콕 경중경중 콕콕
한참 먹이를 찾더니 물풀이
물 위로 솟아난 근처로 가서
고개를 들어 좌로 우로 돌리며
가끔 목을 들었다 놨다 하면서
물풀을 배경으로 사냥을 쉬고 있다.

제비는 가난한 흥부네 집에도
못된 놀부네 집에도 찾아온다.
우리 민족과 가장 가까운 새
내 어렸을 때 살던 고향집에도 찾아왔다.
동무네 집 어디를 가더라도
처마 밑에 튼 둥지를 볼 수 있었다.
볏짚과 진흙에 침을 섞어 둥지를 틀어
마을 앞쪽에 논과 밭이 있는 시골집은
제비가 살기 좋은 환경이었다.

제비 _____

화살처럼 빠르게
곡예비행을 한다

아파트 도시에서는 보기 힘들지만
아직도 도심을 벗어나면 볼 수 있다.
습지에도 해마다 찾아온다.
화살처럼 빠르게 날아다니며 이리저리
곡예비행 하는 모습을 보면 신난다.
하늘뿐만 아니라 갈대밭에도 머문다.
습지 안쪽 쓰러진 갈대 위
무리 지어 앉아서 쉰다.
이십여 마리씩 두 군데 쉰 마리 정도
아직 어린 티가 나는 새도 섞여 있다.

꼬까참새 _____

꼬까옷을 입었다

꼬까라는 말이 이름에 붙어 있으니
곱디고운 참새라는 뜻이겠지.
실제로 붉디붉은 깃털을 보면
참 곱다! 감탄사가 절로 나온다.
지금은 너무 배가 고픈 상황
비바람을 뚫고 수천 킬로미터를 날아
겨우 도착한 서해 작은 섬
체면 차리고 입성 신경 쓸 겨를 없다.
사람들이 가끔 지나기도 하는 길옆
밭두둑에 있는 꼬까참새 수컷
촉새 무리에 섞여 풀 더미를 쫀다.
콕 콕 풀 더미를 쪼다가
아예 땅속으로 상체를 깊이 박아
꼬리가 수직으로 들려 똥구멍이 보인다.
사람이 옆으로 지나가도 아랑곳하지 않고
한참 동안 배를 채우더니
바로 옆에 있는 나무의 누운 가지에 올라
날개 한쪽을 활짝 펼쳐 옆구리 깃털을
다듬고 고개 숙여 배 깃털을
다듬고 고개 최대한 뒤로 해 등 깃털을
다듬는 데에 맹렬하기 그지없다.

오목눈이 _____

두 마리 합쳐
눈이 두 개다

나뭇잎이 연두에서 초록으로 넘어가는 즈음
새들이 깃들 나무가 많지 않다.
둔치에 가장 많은 버드나무
아직 나뭇잎이 다 자라지 않아
나무 속까지 다 드러나고
꽃을 떨군 벚나무도 이파리가 자라고 있어
구멍이 숭숭 뚫려 있다.
귀룽나무는 완전 다르다.
나뭇잎이 크고 꽃을 다닥다닥 달고 있어
빽빽하게 차 있고 향기 가득하다.
누구라도 품을 만큼 가슴 풍만하다.

귀룽나무에 새들이 몰려든다.
직박구리가 동네 건달처럼 거들먹거린다.
텃세를 피해 콩새가 한두 마리씩 날아들고
밀화부리가 무리 지어 날아와서는
즐겁게 노래를 부르기도 한다.
근처 숲속에서 새끼를 잘 키웠는지
오목눈이가 새끼들을 데리고 온다.
어미가 먹이를 사냥하는 동안
새끼들이 어깨를 맞대고 어미를 기다린다.
다섯 마리가 오종종 붙어 있는 이웃에
둘이 합쳐 눈이 두 개인 새끼도 있다.

휘파람새 _____
온몸으로 휘파람 분다

호로호찌비찟!
휘파람과 비슷한 소리를 낸다고 해
휘파람새라고 부른다.
중국이나 일본 남부, 동남아시아에서
겨울을 나고 이듬해 봄에 우리나라에 온다.
도착하자마자 소리를 크게 내며
자기 영역을 알린다.
짝짓기를 하고 나면 떨기나무 숲이나
대나무 숲 속으로 들어가 둥지를 튼다.
풀잎과 풀줄기로 밥그릇처럼 만든다.

새는 온몸으로 노래한다.
작은 새일수록 부리를 크게 벌리고
몸속 깊은 곳에서부터 소리를 끌어내어
온 힘을 다해 노래한다.
꼬리까지 위아래로 흔들린다.
자기 있는 곳이 천적에게 드러나지만
자기 영역을 다져 짝을 찾고 싶어
목숨을 걸고 온몸으로 노래한다.
날이 밝기 전부터 노래하는 휘파람새
투명하리만큼 맑게 울리고 밝다.

황금새 ─

검정과 노랑이 황금 비율이다

장 씨 할머니 텃밭은
작은 새들이 좋아하는 장소다.
상추만 조금 심어져 있고
다른 작물은 심어져 있지 않다.
두릅나무가 자라고
작은 복숭아나무도 있다.
땅에는 풀이 우줄우줄 자라고
흰 냉이꽃이 낮게 깔려 있다.
풀씨랑 흰 냉이꽃을 찾아 먹는
촉새 흰배멧새 쇠붉은뺨멧새
힝둥새가 돌아다닌다.

황금새 한 마리 날아와
복숭아나무 속으로 스며든다.
장독대 뒤 소나무로 잠깐 오르더니
근처 작은키나무로 내려앉아
둘레둘레 둘레를 살펴본다.
검은색과 노란색 황금 비율이
어떻게 저 작은 몸에 구현된 것일까.
노랗게 빛나는 황홀한 빛깔을
한동안 넋을 잃고 살펴본 뒤 자리를 뜨자
내가 가려고 하는 방향으로
먼저 날아가 나뭇가지에 앉는다.

우리나라에서 볼 수 있는 까마귀는
도시에 적응한 큰부리까마귀
도시를 벗어난 곳에서 볼 수 있는 까마귀
그리고 겨울에 수백 마리
때로는 수천 마리 수만 마리
울산에서는 수십만 마리까지
무리 지어 다니는 떼까마귀
떼까마귀 무리에 가끔 섞인 갈까마귀가 있다.

봄과 가을 이동 시기
섬에서 볼 수 있는 까마귀가 검은바람까마귀다.
큰 나무가 드물게 자라
탁 트인 땅이나 풀밭에서 볼 수 있다.
워낙 조심스럽게 경계하며
나뭇가지에 앉아 있다 날아가는
곤충을 잡아먹고 제자리로 돌아오는데
인기척이 있으면 낮은 직선으로 쭉 날아간다.

검은바람까마귀 _____
바람처럼 날렵하다

사락사락 꽃잎인지 새인지 모르겠다

섬마을은 아직 앞산 그림자에 잠겨 있고
봄빛 드는 뒷산에만 아침 햇살 비친다.
휘파람새 검은이마직박구리가 소리를 내고
노랑허리솔새가 노란빛을 드러내는데
마을과 뒷산 경계에 무리 지어 날아다니는
작디작은 새들 갓 태어난 소리로 합창한다.
맑고 투명한 소리로 나직하게
찌이 찌이 찌이 찌이 찌이 찌이
소나무 숲 윗부분에서 놀다가
산벚나무로 날아들어 부리를 박는 새들
동박새보다 작은 작은동박새다.
푸른 대숲을 배경으로 개나리꽃이
아직 피어 초록 잎과 교체하고
고로쇠나무 노란 꽃이 핀 산장민박
산벚나무 위에서 부지런히 부리질을 한다.
작은 부리로 분홍 산벚꽃 속에
자세를 바꿔 가며 햇살을 찍어 넣는 것 같다.
조용히 톡 톡 움직이며 한동안 먹이 먹다
새순이 돋아나는 근처 나무로 옮기더니
맑고 투명한 소리로 나직하게
찌이 찌이 찌이 찌이 찌이 찌이
소리를 모아 합창을 하며
산속으로 사락사락 사락사락 날아간다.

날개 없는 새 같다 솔새사촌

섬마을 이장님의 작은 텃밭이다.
이장을 그만뒀어도 오랫동안 해
여전히 이장님인 밭에 고구마 심어져 있고
파 대파 상추 땅콩 들이 심어져 있다.
가장 넓게 자리 잡은 냉이는
크게 자라 흰 꽃을 달아 흔든다.
가꾸지 않는 듯 가꾸는 밭에
먼 남쪽에서 온 새들 득시글거린다.
흰배멧새 촉새 울새가 가장 많고
숲새도 심심치 않게 볼 수 있다.
틱 틱 소리를 내는 솔새사촌은
마치 날개 없는 새라도 되는 듯
자신의 키 수십 배까지 튀어 오르기도 하고
유채꽃 안에서 몇 번을 움직여
오르기도 하며 먹이를 찾아 먹는다.
잠시라도 쉬는 법 없이 틱 틱 소리 내며
힘차게 튀어 오르고 바닥에서 다시
풀쩍 튀어 오르며 먹이를 찾는다.
여기에서도 틱 틱 저기에서도 틱 틱
유채꽃 무리랑 환하게 어우러진다.

흰눈썹황금새 _____

몸에 이름이 새겨져 있다

나날이 푸르러지는 봄 숲
새는 소리 없이 먹이를 새끼에게 나르거나
노래를 부르며 짝을 찾느라 바쁘다.
박새가 벌레를 물고 나무에 앉아 있다.
곤줄박이가 돌배나무 둥지에서
빠져나와 곧장 멀리 날아가고
쇠박새가 먹이를 물고 날아와
둥지 앞에서 경계를 하다 쏙 들어간다.
딱새가 벌레를 물고 둘레를 살피고
흰눈썹황금새가 맑고 투명한 소리로
노래를 부르며 짝을 찾는다.

눈 위 눈썹줄이 흰색이고
가슴과 배가 황금처럼 밝은 노란색이라고
흰눈썹황금새라고 부른다.
몸 특징이 이름에 고스란히 반영되어
한 번 보면 잊을 수 없는 눈부심이다.
나무가 많은 곳에서 살며
나뭇가지에 앉아 있다가 곤충을 보면
쫓아가 부리로 낚아챈 다음
다시 나무로 돌아와 먹는다.
딱정벌레 나비 벌 파리 같은 곤충과
거미도 잡아먹는다.

원앙 _____

맹렬하게 목욕한다

천연기념물 327호
원앙이 짝짓기를 하기 위해
알록달록 깃털을 치장했다.
더위를 털고 미세먼지 날려 버리려는 듯
한강 쪽에서 날아와 목욕을 한다.
날개를 물에 파닥여 튀기기도 하고
상체를 번쩍 일으켜 물 위에서
날개를 털기도 한다.
잠깐 동안 맹렬하게 목욕을 하더니
다시 한강 쪽으로 날아간다.

원앙의 짝짓기를 본 적이 있다
두 번 봤는데 하는 짓이 거의 똑같다.
수컷이 암컷 둘레를 둥그렇게 돌며
고개를 까딱까딱한다.
구애의 몸짓을 받아들이면
암컷은 자리를 지키며 등을 편편하게 한다.
수컷이 잽싸게 암컷에 올라 자리 잡고는
엉덩이를 좌우로 네다섯 번 움직인다.
그러고는 훌쩍 내려온다.

황로 _____

트랙터를
무서워하지
않는다

아직 해가 뜨기도 전

부지런한 농사꾼들이

모내기를 하고자 트랙터로 논을 간다.

쇠백로 중백로 황로가 무서워하지 않고

거대한 트랙터를 뒤따른다.

트랙터가 파 놓은 자리에

지렁이나 미꾸라지 같은 먹이가 있기 때문이다.

지금은 트랙터지만 옛날에는 쟁기였을 터

소와 쟁기와 흰옷 입은 농사꾼과

백로와 황로가 어울린 봄 논 풍경

생각만 해도 배가 부르다.

백로가 논의 주인이 될 때가 있다.

농부가 모내기를 끝내고

논을 잠시 떠날 때가 그때다.

농부가 밭에서 풀과 씨름할 때

백로 무리가 논을 성큼성큼 걷는다.

흰옷을 즐겨 입던 옛날에는

백성인지 백로인지 구별하기 어려웠겠다.

쇠백로 중백로 중대백로 황로

서로 구별하지 않고 이 논 저 논에서

상대를 아랑곳하지 않으며 먹이를 찾고

나란히 논둑에 서서 깃털을 다듬는다.

청다리도요 _____

청청청청 맑게 노래한다

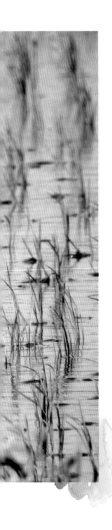

세상에서 가장 멀리 움직이는 새
도요가 우리나라를 지나는 즈음이다.
갯벌뿐만 아니라 무논에서도 볼 수 있다.
이른 아침 농사꾼들이 바삐 일하는
푸른 논 한쪽에서 먹이를 찾는다.
꿩이 논둑에서 껑 껑 영역 표시를 하고
저어새가 부리를 저으며 나아가는데
알락도요가 여러 마리 다니고
그 사이로 종달도요가 종종종 움직이며
맑은 소리로 청청청청 노래하는
청다리도요가 성큼성큼 걷는다.

다리 색이 노란 기운이 섞인
녹색을 띤다고 청다리도요다.
그러나 다른 도요도 비슷한 색깔이 많아
다리 색깔로 동정하기는 어렵다.
혼자 다니기도 하지만 두세 마리에서
수십 마리씩 무리를 짓는다.
얕은 물에서 늘씬한 몸매로
빠르게 걷거나 뛰기도 하고
물을 휘젓기도 하며 먹이를 찾는다.
날아갈 때는 다리를 쭉 뻗어
날개 밑 하얀 허리가 드러난다.

파랑새 _____

텃새의 텃세에 주눅 들지 않는다

섬의 도로 옆 언덕의 고목 꼭대기에
파랑새 한 마리 꼼짝하지 않고 앉아 있다.
까치 한 마리가 소리 지르고
고목 꼭대기에 날아들며 위협하자
파랑새가 풀쩍 날았다가 까치 바로 밑에 앉는다.
이내 다른 까치 한 마리까지 소리 지르며 날아와
두 마리가 힘을 합쳐 파랑새를 쫓아낸다.
파랑새가 도로 건너 상수리나무에 날아가 앉자
상수리나무까지 따라가 요란스레 쫓아낸다.
파랑새는 팔랑 팔랑 나비처럼 날다 멀리 날아간다.
아예 떠난 것은 아니다.

텃새 까치가 지어 놓은 둥지에 들어가려고
까치랑 치열하게 맞붙어 마침내
까치 둥지를 빼앗은 것을 본 적이 있다.
잠깐 자리를 떠난 파랑새는
까치가 무서워 떠난 것이 아니다.
아예 먼 곳으로 떠나지 않고
근처 나무 꼭대기나 전봇대에 앉아서
둘레를 살피며 먹이를 찾는 것이
파랑새의 기개를 보여 준다.
때가 되면 자기가 정한 장소에 텃세를 부리는
까치가 있어도 끝내 자리 잡을 것이다.

조용하고 은밀하다

칡때까치

5월은 개객 개객 객객객

개개비 소리가 습지를 압도한다.

치치 치치 쇠개개비 소리

가끔씩 들릴 뿐이고

잭 잭 재액 잭 잭 재액

서툰 아기 참새 소리며

어른 참새의 분명한

짹 짹 짹 소리

직박구리 삐익삑 소리와

이따금 소리치는 까치의

깍 깍 깍 높은 소리

붉은머리오목눈이 무리가 내는

합창 소리 빼놓을 수 없지만

단연 개개비 소리가 드높다.

새들의 풍성한 합창에 아랑곳 않고

칡때까치 한 마리

홀로 조용히 움직인다.

동남아시아 같은 곳에서

겨울을 나고 우리나라에

드물게 오는 여름 철새다.

떨기나무가 있는 숲 가장자리

또는 탁 트인 숲속에서

조용하고 은밀하게 살아간다.

여름입니다

붉은 여름을 토해 낸다

붉은 여름을 토해 낸다

이른 여름날 습지를 걸으며
개개비 큰 노랫소리를 듣는다.
갈대 꼭대기에 앉아
습지가 떠나가라고
노래가 아니라 고함치는 듯하다.

천적이 빠르게 날아와
날카로운 발톱으로 낚아채면
목숨을 잃을 수도 있는데
사랑이 너무 간절해
온몸으로 붉은 노래를 토한다.

평소 몸을 잘 드러내지 않는다.
갈대밭에서 낮게 날아다니며
나비 메뚜기 잠자리 따위를 잡아먹고
고둥 우렁이 개구리와 풀씨도 먹으며
갈대밭 위로 잘 안 나온다.

오직 사랑 상대를 구할 때만
노출된 곳에서 목을 한껏 뒤로 젖힌 채
부리 속 붉은 입속을 보여 주며
개객 개객 개개개객
목숨 건 구애 노래를 토해 낸다.

천연기념물 419-1호
동아시아에서만 볼 수 있고
우리나라에서 새끼를 친다.
전 세계에 이천 마리도 안 되도록 줄어들어
멸종 위기에 처했으나 대만을 비롯해
보호를 한 덕분에 사천 마리를 넘겼다.
아직도 터무니없이 적은 숫자다.
주걱 같은 부리를 물에 저으며
먹이를 찾는다고 저어새
관심을 더 쏟아야 한다.

저어새 _____

정성스레 서로 깃털을 다듬어 준다

귀한 새 저어새 두 마리가
제각기 열심히 부리를 젓는다.
번식 깃이 노랗게 있는 것이
올해 태어난 어린 저어새는 아니다.
한참 동안 부리를 저으며
먹이를 찾던 저어새 두 마리가 잠시 쉰다.
그러더니 둘의 거리가 가까워지고
서로 깃털을 다듬어 준다.
고개를 땅과 수평이 되게 옆으로 꺾어
상대 깃털에 정성을 기울인다.

뻐꾸기
──
남의 둥지에 알 낳고
제가 진짜라고 운다

호꾹 호꾹 뻐꾸기 소리

남의 둥지에 알을 낳고

호꾹 호꾹 소리를 내는 것은

비록 남의 둥지에 알을 낳았지만

어미가 알을 버리지 않았다는

간절한 신호를 보내는 것일까.

뻐꾸기가 벌써 탁란을 했는지

까치 무리에게 쫓겨 다니면서도

소나무를 중심으로 날아다니다 앉아

꼬리를 좌우로 흔들고 빙글빙글 돌리며

호꾹 호꾹 큰 소리를 낸다.

개개비나 붉은머리오목눈이

딱새처럼 몸집이 작은 새 둥지에

어미가 자리를 비울 때 알을 낳는다.

둥지에 있는 알 크기와 생김새랑

비슷한 알을 낳아

어미가 뻐꾸기 알인 줄 모른다.

뻐꾸기 새끼가 원래 있던 알보다

먼저 알을 깨고 나와

둥지 속 알과 새끼를 밖으로 밀어낸다.

어미가 뻐꾸기 새끼를 키우는 둘레에서

자기가 진짜라고 뻐꾸기가 계속 소리를 낸다.

뻐꾸기 호꾹 호꾹 산솔새 쭈 쭈 쭈잇
되지빠귀 뽀오 뽀오 뽀오 노래 흥겹다.
파랑새 두 마리 나무 꼭대기 가지에서
목을 위아래로 흔들며 서로 눈을 맞춘다.
노랑턱멧새 어린 새가 어미와 날아다니고
어린 딱새 픽 삑 픽 삑 소리치며 다닌다.
오색딱다구리 아기를 키우는지
자기네 영역 밖으로 나가라 고래고래 고함치고
꾀꼬리가 애벌레를 물어 둥지로 나르고 있다.
솔부엉이 뷕 뷕 붜억 나무 높이 올라 소리 내고
소쩍새 솟소쩍 솟소쩍 소리를 낸다.

어렸을 때 살던 고향 산골
저녁을 먹고 엄마 손잡고
친척 집에 놀러 가 텔레비전을 보다
까무룩 잠이 들고 말았다.
뒷동산에서 울려 퍼지던 솟소쩍 솟소쩍
눈을 뜨면 깜깜한 고샅길 엄마의 따순 등
소쩍새 소리는 그렇게 다가왔다.

솟소쩍 솟소쩍 소리를 내고
금방 고요 속으로 빠져들며
소나무랑 한 몸이 된 소쩍새가
엄마의 따순 등을 그립게 한다.

소쩍새 ———

엄마의 따순 등이 그립다

노랑때까치 _____
은은한 깃털이 연초록 숲과 조화롭다

습지 둔치의 여름 아침

풀잎에 이슬이 맺혀 있다.

오디가 검게 익어 가고

버찌도 까맣게 빛나며

씨앗이 여무는

들풀 종류가 여러 가지다.

작은 새들이 먹을 것이 많은 즈음

제비가 하늘에서 빠르게 춤을 추고

서툰 날갯짓을 하는

어린 참새들도 재재거리며

붉은머리오목눈이가 몰려다니지만

개개비 개객 소리가 단연 압도한다.

노랑때까치는 검은색 눈선이 두드러질 뿐

은은한 깃털 빛깔이 연초록 숲과 조화롭다.

꼬리를 위아래 좌우로 흔들다가

먹이가 나타나면 쏜살같이 날아올라

소리 없이 낚아챈 뒤 나뭇가지에 다시 앉는다.

사냥 솜씨가 다른 새에 뒤지지 않고

예전에는 흔한 철새였다는데 어쩐 일인지

요즘에는 보기 어려운 새가 되었다.

결코 작은 새가 아니다

붉은머리오목눈이

때로 몰려다니면서도
시끄럽지 않다.
워낙 소리를 작게 내거니와
낮고 빠르게 날아다닌다.
작은키나무 속이나
갈대밭 깊은 곳에서
마른풀이나 풀뿌리를
거미줄로 단단히 엮어
밥그릇 꼴 둥지를 짓는다.
바닥에는 풀을 깔아 아늑하게 한다.
꼬리가 길지만
몸길이가 13센티미터 안팎으로
참새보다 작다.
그 작고 여린 것이
가끔 자기 둥지에 낳은
뻐꾸기 알을 품는다.
자기가 낳은 알을 잃고
커다란 뻐꾸기를 키우는 것이
있는 놈들 더 배부르게
먹여 살리는 우리 못난
위대한 서민을 보는 듯하다.
작다고 결코 말할 수 없는 새
품 넓은 뱁새다.

뜸부기 _____

뜸을 들여야 볼 수 있다

이슬이 벼 포기에 방울방울 맺힌
들판의 아침 공기가 눈을 맑게 한다.
저어새 한 마리 두 마리 날아가고
뻐꾸기 마을 뒷산에서 호꾹 호꾹 운다.
논둑에는 황로 나란히 서 있고
백로들이 농사꾼인 양 논을 돌아다닌다.
몇 번을 헛걸음한 뒤에야 비로소
논둑길을 걷다가 통 통 통 통
경쾌하게 뛰어가는 뜸부기를 봤다.
어느새 논으로 들어가 벼 포기 사이로
고개 숙여 다니며 몸을 낮춘다.

벼가 작을 때는 눈에 띄지만
벼가 자라면 찾기 어렵다.
동남아시아에서 겨울을 나고
우리나라에 막 도착한 시기에
수컷이 암컷을 유혹하기 위해 뜸, 뜸
소리를 낼 때가 만나기 좋은 시기다.
낮에는 들풀 같은 곳에서 쉬고
아침저녁에 주로 먹이를 찾아다닌다.
농약을 치지 않는 너른 들판에서
조용히 뜸을 들이며 기다려야
천연기념물 뜸부기를 만날 수 있다.

큰유리새 _____
맑고 푸른 깃털 뽐낼 겨를 없다

여름 깊은 숲속은 둥지 풍년이다.

딱새가 물 흐르는 골짜기 큰 바위틈에

넓게 이끼 따위를 깔고 둥지를 틀었다.

까막딱다구리가 길 옆 큰 소나무에 구멍을 뚫었고

되지빠귀가 어른 키보다 높은 곳에 둥지를 지었다.

가장 높은 곳에 둥지를 튼 새는 밤나무에 깃든 꾀꼬리이고

노랑할미새는 골짜기 땅바닥에 깃들었다.

물까마귀는 징검다리 바로 밑 바위 안쪽에 둥지를 틀었고

박새는 인공둥지에 알 낳을 준비를 한다.

큰유리새는 전혀 예상하지 못한

처마 난간에 알을 품었다.

보통 계곡 둘레 바위틈이나

벼랑 구멍에 이끼와 낙엽을 쌓아 짓는다.

밥그릇처럼 둥글고 오목하게 만들고

바닥에 가는 나무뿌리를 깐다.

사람이 거의 다니지 않는

쉼터라는 것을 알고 그랬는지

작은 나무 건물에 둥지를 지었다.

유리처럼 맑고 투명한 깃털

뽐낼 겨를도 없이 먹이를 잡아

새끼들한테 먹이려고 나르고 있다.

흰뺨검둥오리 _____
꽁무니에 새끼를 줄줄이 달고 간다

노랑 새끼 열한 마리를
꽁무니에 한 줄로 달고
초록 풀밭과 초록 풀밭 사이 물 위를
쏜살같이 미끄러져 가던 어미 오리
아름다운 자태를 선명하게 기억한다.

나를 오리의 세계로
새의 세계로 끌어들인 흰뺨검둥오리다.
우리나라에서 볼 수 있는
오리 가운데 가장 흔한 텃새다.
겨울에는 북쪽에서 철새도 내려온다.

몸보다 얼굴 쪽 색이 밝아서
흰뺨검둥오리라는 이름을 얻었다.
멀리서 보면 몸은 검은색에 가깝고
머리는 흰색으로 보인다.
잠수하지 않고 헤엄치며 먹이를 찾는다.

습지에서 해마다 새끼를 친다.
새끼를 칠 때는 몹시 조심하지만
때로 대담한 어미도 있어
풀숲과 풀숲 사이를 건널 때
그다지 조바심을 내지 않기도 한다.

할아버지가 오셨다.
어깨를 구부정하게 하고
작은 버드나무 가지에 올라
습지를 고요하게 바라본다.
물속 고기 움직임을
날카롭게 쫓아가는 것이 아니라
바람결에 미세하게 여울지는 물결을 좇거나
수직으로 꽂히는 햇살 조각을 잇거나
이윽히 굽어본다.

해오라기 ＿＿＿＿＿＿
구부정 할아버지다

냇가에서 이런 일도 있었다.
해오라기 한 마리 물속에 발을 담그고
구부정하게 서 있는데
중백로 한 마리 하필 해오라기 코앞에
턱 하니 내려앉으며 마주 선다.
그러거나 말거나 꼼짝하지 않는 해오라기에 반해
중백로는 하늘 향해 점차 목을 길게 빼며
가장 키 큰 모습으로 으스댄다.
해오라기는 그래도 꼼짝하지 않다가
– 나 원 참 별 이상한 녀석 다 보겠네!
풀쩍 자리를 비켜 준다.

붉은 부리 우아한데 쫓겨나고 만다

붉은부리찌르레기

갈대밭에서 시끄럽게 짝을 찾던 개개비가
노래 대신 새끼를 키우는 데에 집중하고
흰뺨검둥오리 어미가 새끼들을 이끌고
물풀 사이로 조용히 움직인다.
쌍으로 날아다니던 덤불해오라기가
가끔 한 마리씩 보이는 것이나
쇠물닭이 홀로 다니는 것도
새끼를 키우기 때문일 테다.
붉은머리오목눈이는 이미 새끼를 키워
큰 무리를 지어 함께 날아다닌다.

습지 옆 공원도 새끼들이 날아다닌다.
근처에서 알 낳고 키우는 과정을 다 끝낸
제비 꾀꼬리 멧비둘기 어린 새가 보인다.
참새와 까치 무리에도
앳된 티가 가시지 않은 새끼들이 섞여 있다.
물과 먹이를 찾아 날아온
붉은 부리 우아한 붉은부리찌르레기도 있다.
세 마리 중 두 마리는
어린 새가 분명해 보이는데
낯선 새를 그냥 두지 않는 까치가
소리를 지르며 다가가 쫓아내고 만다.

물총새 _____

총알처럼 몸을 날린다

물가 버드나무 가지에 앉아 노려보다가
총알처럼 물속으로 몸을 날려
물고기를 잡는다고 해서 물총새다.
깨끗한 물가에 산다.
나무에 앉아서도 물고기가 훤히 보여야
사냥을 할 수 있기 때문이다.
종종 맑은 물에 몸을 씻고
햇빛 잘 드는 나뭇가지에 앉아 깃을 고른다.
때로는 물 위에서 정지비행을 하거나
물속에 머리를 담가 먹잇감을 찾기도 한다.

어렸을 때 쉽게 볼 수 있던 새가
지금은 쉽게 보기 어려우니
환경에 민감한 새라는 것을 알 수 있다.
버드나무에서 쉬거나 나는 모습을
네 계절 모두 볼 수 있다.
습지로 들어오는 물길 옆 둑에
둥지를 지어 새끼를 기르기도 한다.
물이 적어 바닥을 드러내기도 하고
더러운 물로 몹쓸 냄새가 나기도 하는
습지에서 꿋꿋하게 살아간다.

중대백로 _____

우아한 춤을 춘다

꿩이 껑 껑 소리치고
붉은머리오목눈이가 무리 지어 다니지만
모습을 잘 드러내지 않는다.
개개비 소리 더 높아진 것이
어린 새까지 보태진 까닭이겠지만
풀숲 낮은 곳에 머물며 나오지 않는다.
왜가리 민물가마우지 흰뺨검둥오리 정도를 쉽게 보고
물총새 해오라기 덤불해오라기 쇠물닭 쇠백로는
한참을 기다려야 볼 수 있다.
중대백로는 줄곧 볼 수 있고
우아한 몸짓까지 자주 보여 준다.

우리나라에서 짝짓기를 한다.
새끼를 칠 무렵에는 숲으로 들어가
나무 위에 수백 마리가 모여
다닥다닥 둥지를 짓고 알을 낳는다.
중대백로 쇠백로 외에 해오라기
흰날개해오라기가 섞이기도 해
큰 백로 마을을 이룬다.
새끼를 치고 난 뒤에는
홀로 또는 작은 무리를 지어
뿔뿔이 흩어져 살아간다.
얕은 물에서 걸어 다니며 먹이를 찾는다.

인상이 강렬해 별명도 많다

호반새 ──

초록 벼 무성한 논에 하얀 백로들
황로는 무리를 지어 논둑에 서 있다.
붉은 부리 파랑새가 하늘을 파도 타고
노란 꾀꼬리가 녹음을 배경으로 날아다닌다.
황조롱이가 전봇대 위에 앉아 있고
물까치가 풀숲에서 나무 위로 날아오른다.
붉은배새매 청딱다구리 때까치 어린 새 날아다닌다.
흙 절벽에서 새끼를 키운 청호반새가
아직 새끼 곁을 떠나지 않고 챙긴다.
호반새가 두 번째 번식을 하려고 하는지
큰 나무 안에서 맑은 노래를 부른다.

물가에 산다고 호반새다.
비가 내리는 소리를 낸다고 비새라고도 하고
주황색 빛깔이 선명해 불새라고도 하며
붉은 물총새라고 부르는 이도 있다.
인상이 강렬한 새
노랫소리도 독특해
녹음 짙은 숲에서 휘루루루루루
휘루루루루루 휘루루루루루
맑게 울리는 소리를 들을라치면
온몸에 소름이 돋는다.
세포가 호반새를 향해 곧추선다.

꾀꼬리 _____
소리가 늘 곱지는 않다

고운 목소리로 노래하면
꾀꼬리처럼 노래한다고 말하지만
꾀꼬리 소리가 늘 곱지는 않다.
암컷을 애타게 부를 때만
맑고 청아한 소리로
수컷이 간절하게 노래한다.
빛깔 참 곱다.
온몸이 밝고 진한 노란색이다.
꼬리는 검은색으로
바깥꼬리깃은 노란색이고
부리는 진한 분홍색이며
눈앞부터 뒤통수까지
검은색 눈줄이 뻗어 있고
다리는 암회색이다.
워낙 눈에 띄는 빛깔이라서
넓은잎나무 가지에 숨어 지낸다.
어쩌다 초록 나뭇잎 사이로
몸을 드러내면
눈길을 확 잡아당겨
넋 놓고 바라볼 수밖에 없다.

덤불인 척한다

갈대밭이나 줄 덤불에
많이 산다고 해오라기
이름 앞에 덤불을 붙였다.
해오라기 무리 가운데
몸집이 가장 작다.
덤불 속에 있으면
몸 빛깔이 두드러지지 않아
눈에 잘 띄지 않는다.
풀숲에서 잘 안 나오고
나와도 짧은 거리를
낮고 빠르게 날아간다.
목에는 세로줄 무늬가 있는데
천적이 다가오면 도망치기보다는
목을 하늘로 쭉 뻗어
마치 갈대나 줄 같은
식물처럼 보이게 한다.
이때 부리는 하늘로 세우지만
눈은 내리깐 채로
천적을 살펴본다.
눈 마주칠 때가 있다.

삑삑도요 _____

삐비삑삑 습지를 깨운다

우리나라에 오는 철새 중
가장 멀리 이동하는 새는 도요
그중에서도 큰뒷부리도요는
세계에서 가장 넓은 바다를 쉬지 않고 건넌다.
알래스카에서 새끼를 치고
태평양 건너 뉴질랜드에서 겨울을 난다.
그 거리가 무려 3만 킬로미터
서울에서 경주 거리의 100배다.
그 먼 거리를 이동하며
우리나라 서해안을 거친다.

갯벌은 도요의 먹이터다.
머나먼 길을 지도도 나침반도 없이
내비게이션도 없이 이동하는
청다리도요 깝작도요 꺅도요
민물도요 학도요 알락도요
습지에 그들이 찾아온다.
대부분 이동 시기에 찾아오지만
날아갈 때 삐비삑삑 소리를 내는
삑삑도요는 네 계절 볼 수 있다.
한여름 뜨거운 햇살 습지의 고요를
꼬리를 까닥대며 흔들다가 삐비삑삑 깨운다.

중백로
————

서툴지만 부지런한 사냥꾼이다

한여름 햇살이 아무리 뜨거워도
그늘에 들지 못하는 목숨이 있다.
다리를 적시는 시원한 물속에서
땅을 내딛으며 사냥할 때가 좋았을 테다.
습지에 물이 빠져 그렇지 못하다.
발가락이 진흙에 빠지거나 물풀에 걸려도
불볕 받으며 끝내 먹이를 찾아야 한다.
고개를 잔뜩 수그려 물풀 속에 숨어 있거나
물풀 밑으로 돌아다니는 물고기를 잡아야 한다.
부리를 물고기에 내리꽂은 다음에야
하늘 높이 고개를 쳐들 수 있다.

쇠백로와 중대백로의 중간 크기로
중대백로 무리와 잘 섞여 다닌다.
중대백로보다 수가 적다.
쇠백로와 쉽게 구별할 수 있지만
중대백로와 구별하기는 쉽지 않다.
같이 있을 때는 크기로 구별하지만
따로 있을 때는 눈동자 중앙 아래까지만
다다른 구각으로 확인해야 한다.
논 강 개울 같은 곳에서 천천히 거닐며
개구리 물고기 미꾸라지 들을 잡아먹는다.
서툴지만 부지런한 사냥꾼이다.

쇠물닭 _____
하늘 땅 물
풀숲 어디에서도
자유롭다

닭이라고 다 같은 닭이 아니다.
오동통하게 비슷한 모양이라서
닭이라는 이름이 붙었지만
귀한 몸 뜸부기와 같은 과다.
물에서 주로 생활한다고 물닭이다.
물닭보다 작다고 쇠물닭이다.
날개가 있으니 하늘을 날 수 있고
발가락이 길어 땅은 물론
물풀 위도 쉽게 걸어 다닐 수 있다.
하늘과 땅과 물과 풀숲
어디라도 갈 수 있는 재주가 있다.

빛깔은 또 얼마나 도드라지는가.
몸통 윗부분은 푸른빛이 도는 짙은 회색이고
아래쪽은 푸른빛이 도는 연한 회색이다.
이마에 달걀 모양 붉은 판이 있고
아래꼬리덮깃 양쪽에 하얀 반점이 커다래서
붉고 하얀 빛깔이 눈길을 확 사로잡는다.
오동통한 몸집에 선명한 빛깔로
부리를 빼 놓고 온통 검은
작은 털북숭이 어린 새끼에게
먹이를 챙겨 주는 지극한 모습을 보면
어디라도 갈 수 있는 재주는 전혀 별개다.

가
난
한

집
의

가
장

같
다

습지가 위태롭다.

한쪽에서는 계속 건물을 올리고

땅을 땅땅 파는 소리가 요란하다.

건물을 올리려고 습지를 편편하게 한 곳도 있다.

그곳에 비가 와서 작은 물웅덩이가 생겼는데

노랑할미새가 꼬리를 까딱까딱하며 걸어 다니고

쇠백로가 먹이를 찾고 있다.

쇠백로는 먹이 잡는 방법이 다양하다.

먹이를 잡는 곳이 호수 논 개울 어디냐에 따라

그러니까 물 깊이에 따라 다른 방법을 쓴다.

얕은 물에서는 물고기를 쫓아 달리기도 하고,

발로 수면 바닥을 구르며 여기저기 거닐다

놀라 튀어 오르려는 물고기를 잡기도 한다.

하천 자갈밭이나 수중보 등에서는

가만히 서 있다가 오르내리는 물고기를 잡기도 한다.

발로 저어새 부리처럼 조심스레 땅을 가로젓다가

먹이가 느껴지면 잽싸게 쪼아 먹는다.

얼마나 조심스럽게 발을 저으며 나아가는지

가시밭길을 걷는 것 같다.

가시밭길에서도 기어코 먹이를 건져 올리는

가난한 집의 가장 같다.

청호반새 _____

숨이 턱 막히는 아름다움이다

아름다운 새를 볼 때면 숨이 턱 막힌다.
입추가 지나면서 새벽 공기가 서늘해져
가을이 다가오고 있음을 느끼지만
해가 하늘 높이 떠 있는 한낮에는 여전히
조금만 움직여도 땀이 흐른다.
길을 걸을 때면 더운 공기가
훅 끼치며 숨을 막아 더 숨이 막힌다.

청호반새의 아름다움도 숨을 막는다.
머리 위쪽은 검은 모자를 쓴 것 같고
목둘레와 가슴은 흰색이다.
등과 꼬리는 푸른색을 띠는데 햇빛을 받으면 반짝거린다.
날개에는 검은색과 푸른색이 섞여 있다.
배는 주황색, 부리와 다리는 붉은색이다.
한 쌍이 서로 쫓고 쫓기듯이 물 위를 날다가
수면에 뛰어드는 듯 차고 오르는 모습을 보면
그만 숨이 턱 막히며 황홀하다.

사냥 솜씨도 일품이다.
물가 나뭇가지에 앉아
꼼짝하지 않고 물속을 노려보다가
몸을 날려 물속으로 내리꽂으면
큰 부리에 물고기를 물고 나온다.
물살이 흔들려도 정확하게 내리꽂는다.

둥지 잘 지었다.
잔가지 수십 개로 얼기설기 바닥만 깔아
구멍 숭숭 뚫린 접시 같은 것도 봤는데
국그릇 형태로 야무지게 지었다.
알을 품은 자세도 안정되어 있다.
다만 차와 사람이 다니는 도로
가로수에 지은 것이 흠이다.

멧비둘기 _____
젖을 게워 내어 새끼에게 먹인다

멧비둘기는 새끼에게 젖을 먹인다.
젖꼭지로 먹이는 것은 아니고
어미가 젖을 게워 내면 새끼가
어미 목구멍에 머리를 집어넣고 먹는다.
알을 단 두 개만 낳을 수밖에 없는 구조다.

둥지 지키는 모습을 나흘째 지켜봤지만
언제 자유로운 몸이 될지 모르겠다.
불안한 얼굴로 경계하는 눈빛이
맑다 못해 슬프다.
부디 알을 깨고 나온 새끼가
제 날개로 둥지를 떠나게 될 때까지
아무 일 없기를 바랄 뿐이다.

쇠뜸부기사촌 _____

연잎 위를 사뿐사뿐 걸어 다닌다

막상 찾으려면 참 찾기 힘든 새가

도시 큰 공원에서 여름을 나고 있어

불쑥 찾아가 안부를 물었다.

첫 만남은 가뭄이 오래 이어져 목마른 시기

남쪽 지방에 태풍이 머물고

새벽 비가 보슬보슬 간지럽게 내릴 때다.

분홍과 흰 수련이 핀 습지

흰뺨검둥오리가 바위 위에서 깃털을 다듬고

쇠물닭 어미가 돌아다닌다.

주먹보다 작은 검은 쇠물닭 새끼가

연잎 위를 후다닥 달려 풀숲으로 들어간다.

쇠물닭 새끼에 눈이 팔려 있는데

다른 곳에서 쇠뜸부기사촌이 소리를 낸다.

꼭 꼭 꼭 꼭 꼭 꼭 꼭 꼭 꼭 꼭

단음절 소리를 끊임없이 내다가

꼬꼬꼬꼬꼬꼬꼬꼬꼬꼬꼬꼬꼬꼬꼬 떨림소리를 내며

연잎 위를 사뿐사뿐 걸어 다닌다.

연잎 위를 한참 동안 걸어 다니다가

풀숲으로 들어가 깃털을 손질한다.

깃털을 부지런히 다듬으면서도

꼭 꼭 꼭 꼭 꼭 꼭 꼭 꼭 꼭 꼭

꼬꼬꼬꼬꼬꼬꼬꼬꼬꼬꼬꼬꼬꼬꼬

올 여름을 동행해 보자고 소리를 낸다.

제비갈매기_____
몸을 내리꽂고 꺾고 현란하게 사냥한다

여름 끝자락에서 가을로 가는 시기
푸른 동해가 하늘보다 짙고 깊다.
가슴이 한껏 부풀어 오르고
흰 구름 두둥실 떠다니는 사이로
햇살이 찬란하게 퍼져 내려온다.

모터 소리 크게 울리는 작은 배
항구를 떠나 물살 가르며 나아가자
민물가마우지가 제일 먼저 모습을 드러낸다.
괭이갈매기가 하늘로 날아다니고
부표에 앉은 제비갈매기가 보인다.

바다 쪽으로 더 나아가자
파도에 몸을 맡긴 제비갈매기 무리가 여럿이다.
십여 마리부터 백여 마리 무리에 붉은발제비갈매기와
구레나룻제비갈매기까지 끼어 다양한 무리로
일렁이다가 한꺼번에 힘차게 날아오르기도 한다.

하늘에서 빙글빙글 날아다니며
정지비행으로 사냥할 물고기를 찾다가
바다로 수직 낙하하며 몸을 내리꽂는가 싶더니
수면 바로 위에서 방향을 두어 번 꺾어
현란한 몸짓으로 물고기를 사냥한다.

붉은가슴도요

시베리아에서 오스트레일리아까지 오간다

한낮의 해는 아직 뜨거워
모래밭에 텐트를 치고 물속에 들어가
아이들은 튜브를 타고 발을 구르고
어른들은 물속에 몸을 담갔다가
한참 지난 뒤 고개를 내민다.

먼 바다에서 불어오는 바람
더위를 식히기에는 아직 약하다.
괭이갈매기가 이따금 하늘을 날고
모래밭 앞 작은 바위섬에
먼 여행을 하는 도요 작은 무리가 있다.

붉은가슴도요 한 마리 붉은어깨도요 무리랑
떨어지지 않고 그들 곁에서
마냥 돌아다닌다.
붉은어깨도요는 홀로 날아다니기도 하는데
붉은가슴도요는 무리를 떠나지 않는다.

해마다 시베리아에서 오스트레일리아를
밤낮으로 날아 우리나라에 도착할 무렵이면
몸이 반쪽이 되어 굶어 죽기 직전이다.
어느 누구한테도 눈치 보지 않고
마음껏 먹이를 쫄 터가 있으면 좋겠다.

가을입니다

톡 톡 날아다니는 국화 같다

수천 마리가 한꺼번에 알을 품는다

울음소리가 고양이 소리와
비슷하다고 괭이갈매기다.
섬에서 집단으로 번식하는데
백령도에서 수천 마리가 한꺼번에
알을 품는 것을 봤다.
바구니를 들고 다니며
알을 거두는 할머니가 있었다.
습지에는 한두 마리만 찾아오는데
얼마 전에는 스무 마리가 찾아와
하늘에서 빠르게 떼춤을 췄다.

바닷가 섬 특히 무인도에
무리 지어 새끼를 치는 텃새다.
웅진의 신도 태안의 난도 통영의 홍도는
집단 번식지로 천연기념물이다.
새끼를 칠 무렵에는 민감해져
고양이 우는 듯한 소리를 내고
둥지 터를 놓고 피를 흘리며 싸우기도 한다.
한 번 짝을 지으면
이듬해에도 번식지로 돌아와
짝지은 그대로 지내는 일이 많다.

벙어리뻐꾸기 ─

잘못 지은 이름이다

벙어리라니, 이름 잘못 지었다.
우리나라 새 이름은 대부분
생김새나 소리를 따서 지었기 때문에
부르기 쉽고 모양새를 짐작할 수 있는데
벙어리뻐꾸기는 잘못 지은 이름이다.

소리를 낸다.
정감을 불러일으키는 뻐꾸기처럼
맑고 투명하지 않지만
꾸국 꾸국 꾸국 꾸국 짧고 낮게
울려 퍼지는 소리를 낸다.

짝을 찾는 시기인
봄에는 들을 수 있지만
다른 계절에는 듣기 힘들다.
지난주부터 보기 시작했지만
전혀 소리를 듣지 못했다.

모습도 잘 보여 주지 않는다.
인기척이 있으면 얼른 날아가고
나뭇잎이 많은 나뭇가지
길 반대편에 앉아 있어
온전한 모습을 보기 어렵다.

몸집이 조그매서 '좀'도요다

갯벌을 메워 농토로 바꾸는 곳
개발을 멈춰 생명이 깃들었다.
제비가 빠르게 날아다니고
알락할미새 노랑할미새가 돌아다닌다.
까투리와 꺼병이 무리가 종종거리고
물총새가 휙 날아간다.
황조롱이가 낮게 날다 멀리 날아가고
매가 나무 말뚝에 의젓하게 앉아 있다.
넓적부리 무리가 멀리 물에 떠 있다.
어린 장다리물떼새 몇 마리가 쉬고 있고
흑꼬리도요가 무리 지어 먹이를 찾는다.

도요가 다양하게 있다.
알락꼬리마도요 뒷부리도요
청다리도요 쇠청다리도요
삑삑도요 알락도요 깝작도요가 있다.
도요 가운데 몸집이 작아
좀이 붙은 좀도요도 눈에 띈다.
얕은 물에서 무리 지어 빠르게 걸어 다니며
먹이를 쪼아 먹다가 위급하다 여기면
우르르 날아올라 한 방향으로 날다가
방향을 휙 바꾸어 날고는
다시 방향을 바꿔 날아간다.

홀로 나를 지켜보고 있다

넓적부리도요

지구에 몇 백 마리밖에 없어 귀하디귀한 새
도요의 이동 시기 섬에 가면 볼 수 있다.
그 작은 새를 보려고 찾은 유부도
검은머리물떼새가 먼 바다에 장사진을 치고
알락꼬리마도요 수백 마리가 무리를 지었다.
저어새 무리와 백로 무리도 보인다.
노랑발도요가 있고
좀도요 무리가 먹이를 찾아다닌다.
물이 들어올수록 큰 새는 날아가고
민물도요와 흰목물떼새 무리가 다가온다.
수천수만 마리 무리 속에
개꿩 왕눈물떼새 큰왕눈물떼새 중간 중간 있고
청다리도요사촌도 있다고 한다.
넓적부리도요 한 마리가 발발거리는
수백 마리 민물도요에 끼어 있다는데
아무리 살펴봐도 찾을 수가 없다.
물이 빠져나갈 때까지 눈을 부릅떴지만
끝내 찾지 못하고 수십만 마리 새
바닷물과 섬 풍경 본 것에 위안을 삼았다.
집으로 돌아와 사진을 정리하다 보니
아뿔싸! 내가 이리저리 눈 돌리며 찾는 동안
홀로 나를 똑바로 지켜보고 있었다.

밀화부리 _____
숲을 한꺼번에 확 일으킨다

햇빛 속에 가을이 들어 있다.
높고 푸르른 하늘
새가 여름보다 부지런하게 날아다닌다.
숲이 수런수런한다.

숲이 갑자기 확 일어선다.
밀화부리 쉰 마리 정도가
버드나무에 앉았다가 한꺼번에
무리 지어 날아오르는 기세 덕분이다.

씨앗을 먹기에 적당하도록 진화한
오렌지 빛깔 두툼한 부리가 특징이다.
노랫소리가 좋고 곡식을 좋아해
옛날에는 관상용으로 길렀다.

지금은 쉽게 찾아볼 수 없는 새
나그네가 되어 도시 공원에 날아와
버드나무에서 버드나무로 반짝이며
날아다녀 숲의 분위기를 확 띄운다.

가을을 끌어당긴다

솔딱새

아침 바람에 서늘한 기운이 있어
햇볕이 반갑다.
눈부시게 환한 빛이 나뭇잎 사이로 춤추고
작은 새의 움직임이 재빠르다.
둔치에 있는 버드나무
작은 새들을 품고 있어
습지보다 나무에 눈이 더 가는 즈음이다.

버드나무 잘라진 가지 끝에 앉아
의젓한 모습을 보여 주지만
실상 참새보다 작은 나그네다.
나무에서 생활하며
땅에 거의 내려오지 않는다.
앞이 트인 숲 가장자리의 나뭇가지나
전깃줄 같은 곳에 앉아 있다가
가볍게 날아올라 곤충을 잡아 물고
원래 자리로 돌아오는 행동을 되풀이한다.
마치 가을을 작은 몸으로
계속 끌어당기는 듯하다.

솔새 _____
100원짜리 동전 두 개 무게다

습지 둔치 버드나무에
솔새가 톡 톡 움직인다.
어찌나 몸이 가벼운지
나뭇가지에서 나뭇가지로 움직여도
나뭇가지가 움직이지 않아
눈으로 직접 보지 않으면
거기 있는지 알지 못한다.
먹이를 찾아다니는 것이 아니라
그저 이곳저곳 탐색이 목적인 듯
짧은 거리를 톡 톡 쉬지 않고 날아다닌다.

참새보다 작은 크기로
100원짜리 동전 두 개 무게다.
홀로 가볍게 톡 톡 날아다니다가
두 마리 거리가 가까워지면
갑자기 확 맞붙었다가 화라락
불 맞은 것처럼 뒤로 물러났다가
제각기 따로 날아다닌다.
높은 산에서 새끼를 치기도 하지만
우리나라를 지나가는 나그네새다.
곤충을 주로 먹으며 식물 열매도 먹는다.

논병아리

새끼 독립시키기 쉽지 않다

논에 사는 병아리라고
논병아리라고 부른다.
짝짓기 철이면 한 쌍이
마주 보며 춤을 춘다.
새끼를 천적으로부터 보호하고
몸을 따뜻하게 하기 위해
여러 마리를 등에 태우고 다닐 정도로
자식 사랑이 각별하다.
습지에서 여름을 지낸 논병아리 한 쌍
다정하게 헤엄치고 있는데
어린 논병아리 한 마리가 끼어든다.
어미가 물 위를 달음박질치며
쫓아 버리지만 어린 논병아리는
급히 물러섰다가 슬그머니 따라붙는다.
어미가 더 이상 쫓지는 않는다.
아기 때는 먹을 것을 잡아
쪼아 먹기 쉽게 주기도 하지만
어느 정도 크면 따로 살게 하는데
아직 자립할 때가 안 되었는지
아주 야박하게 굴지는 않는다.

하늘 높고 햇살 따가운 가을

살랑살랑 부는 바람에 느티나무 잎이

툭, 떨어진다.

자귀나무 잎도 벚나무 잎도 떨어진다.

버드나무 잎은 노랗게 말라 가고 있다.

바야흐로 가을이 깊어지고 있다.

모든 직박구리가 들고 일어난 듯 시끄럽다.

나그네 밀화부리에게 텃세를 부리는 것일 게다.

그러거나 말거나 쇠솔딱새는 반짝이는

큰 눈을 빛내며 이곳저곳에서

모습을 드러내지만 조용히 날아다닌다.

솔딱새보다 작아 쇠솔딱새지만

솔딱새 13.5센티미터 쇠솔딱새 13센티미터이니

크기로 구별하기 어렵다.

가슴에 회색 줄무늬가 흐리게 있으나

그저 하얀색으로 보인다.

아랫부리 안쪽은

폭넓게 등황색이어서

폭이 좁은 솔딱새와 구별할 수 있다.

숲 가장자리 나뭇가지에 앉아 있다가

먹이가 나타나면 잽싸게 날아올라

먹이를 잡고 나뭇가지로 돌아온다.

쇠솔딱새 —

큰 눈이 반짝반짝 빛난다

아침이면 출근한다

큰기러기

철새 이동 시기 시월
기러기 대부분 남쪽으로 더 내려가
습지에 적게 머물고 있다.
쇠기러기가 먼저 도착한 뒤
큰기러기도 머물고 있고
조만간 이곳은 기러기 천지가 될 테다.

내가 출근하는 시간이면 어김없이
큰기러기도 힘차게 날갯짓하며 일하러 간다.
천적을 피해 밤새 습지에서 자고
장항습지나 공릉천 쪽 들판으로 날아간다.
무리가 다들 잠을 잘 때
몇 마리는 깨어 있으면서 둘레를 살핀다.

하늘 높이 ㅅ자 모양으로 나는 것은
앞서 날아가는 새가 날개를 치면서
흘러나오는 공기 흐름을
뒤따르는 새가 이용하기 위해서다.
어울려 다니다가 몸을 다치는 새가 있으면
두고 가지 않고 옆을 지킨다.

오색딱다구리 _____

어마어마한 노력으로 빚은 붉은색도 흐려진다

습지 둘레에 아름드리 버드나무와
벚나무 은행나무 화살나무 팥배나무
뽕나무 귀룽나무 참느릅나무 들이 있어
귀한 산새와 들새가 찾아온다.
우리나라에 사는 텃새로
딱다구리 가운데 가장 흔한 오색딱다구리도
습지를 찾는 단골손님이다.

처음 오색딱다구리를 봤을 때
가슴이 덜컥 내려앉았다.
야생 세계에서 붉은색은
너무 두드러지게 눈에 띄는 색깔이다.
이성을 유혹하기 좋지만
어마어마하게 노력해야 만들 수 있거니와
천적 눈에 쉽게 보이기 때문이다.

붉은 깃털로 짝을 이루고
둥지에 알을 낳아 마침내
새끼를 키울 무렵에는
깃털에 관심 둘 여력 없다.
오로지 새끼 먹이를 나르느라
깃털이 너덜너덜해지면서
붉은색이 점차 흐려지고 만다.

재두루미 —

천연기념물 한 가족이 떠나간다

궁궐을 벗어난 학을 찾았다고 해서
벌판에 솟은 산 이름이 심학산이다.
학, 두루미가 많이 지내던 곳이었지만
차가 씽씽 달리는 자유로가 닦이고
출판단지가 생기며 볼 수 없게 되었다.

십 년 넘게 지켜봤지만 찾아오지 않는
재두루미는 1970년대까지만 해도
한강 하류에서 이천 마리 넘게 겨울을 났다.
지금은 철조망 너머 한강 습지와 둘레에서
수십 마리만 볼 수 있을 뿐이다.

늘 그리움으로 기다리던 재두루미
퇴근길에 올려보게 되어 숨이 턱 막혔다.
너무 멀어 윤곽이 뚜렷하지 않지만
상승 기류를 타고 올라가면서
날갯짓을 해 우아하게 나아간다.

올해 태어난 새끼도 포함되어 있다.
한 가족이 머물 곳을 찾는 듯한데
고도를 자꾸 높여 가는 것이
이곳은 아니라고 판단한 듯하다.
천연기념물 203호가 멀리 떠나가고 만다.

닭하고 비슷하다고 물닭

북녘에서는 쇠물닭과 견줘 큰물닭이라 부른다.

양쪽 발가락마다

접고 펼 수 있는 물갈퀴가 붙어 있다.

노를 젓듯이 넓게 펴서

물을 뒤로 밀어냈다가 당기기를

번갈아 하면서 헤엄친다.

물 위를 뛰어가다가 날아올라

물 바로 위를 곧바로 날아가서는

물보라를 일으키며 물에 내려앉는다.

물닭 _____
물 위를 뛰어가다가 날아오른다

새끼를 키우는 물닭을 본 적이 있다.

한창 자라는 새끼들에게 물풀을 잘게 뜯어

새끼들 부리에 넣어 주고 있었다.

부부가 함께 땅으로 올라

보드라운 풀을 뜯어 찢어 먹이기도 한다.

둥지를 보수하는 부부 곁에 제법 큰 새끼가

둥지 짓는 것을 도우고 있어 기특하다 여겼는데

조금 뒤 먹이를 내놓으라고

어미를 쫓아다니며 소리를 지른다.

큰 놈도 새끼일 따름이다.

멧새
———

몸집이 감나무 잎보다 작은 가수다

아이 웃음이 끊긴 산골

고향의 현재 모습이다.

지팡이 짚고 다니는 어른들뿐이다.

황조롱이 여러 마리 전깃줄에 있고

새호리기 한 마리 전봇대에 앉아 있다.

하늘 위에서 빙글 빙글 도는 새는 말똥가리 같다.

맹금을 쉽게 볼 수 있지만

딱새 박새 같은 작은 새도 제 목소리를 낸다.

멧새는 감나무 꼭대기에 앉아

아버지 무덤을 오랜만에 찾은 아들에게

한참을 노래해 주다 훌쩍 날아갔다.

산에 사는 새라서 멧새다.

산이 대부분인 우리나라에서

예전에는 흔한 새였고

노랫소리가 아름다워 많은 사람이

잡아다 집에서 기르기도 했다지만

요즘에는 산골에나 가야 볼 수 있다.

아버지 무덤 앞에서 만난

감나무 잎보다 몸집이 작은 가수

고음으로 다채로운 가락을 노래하니

흥에 겨우면 저절로 터져 나오던

아버지의 숨겨진 흥을 듣는 듯하다.

톡 톡 날아다니는 국화 같다

가을이 깊어지면 겨울을 나고자
우리나라를 찾아오거나 더 먼
남쪽으로 이동하는 새들이 잦아진다.
요즘 자주 모습을 드러내는 황조롱이
박새 쇠박새 딱새 촉새 때까치
알락할미새 백할미새
붉은머리오목눈이는 수백 마리나 되고
휘파람새 소리도 들리며
후투티 멋진 모습도 나타났다.
아주 짧은 거리를 톡 톡 계속 날아다니는
노랑눈썹솔새는 새로운 즐거움이다.

손바닥에 올려놓고 오므리면
폭 담길 만큼 몸이 아주 작다.
익은 방울토마토 한 개만 한 몸무게로
동남아시아에서 러시아까지 오간다.
봄과 가을 이동 시기
들꽃 무리에 섞여 있으면
들꽃이라고 해도 좋을 만큼 아름답다.
주로 숲 가장자리 떨기나무에서 생활하고
나뭇잎 사이를 바쁘게 날아다니며
곤충을 잡아먹는데
쮜잇 쮜잇 소리를 낸다.

후투티 _____
계절에 따라 옷을 바꿔 입는다

오디나무에 즐겨 앉아 오디새라고도 하고
놀랐을 때 활짝 펼치는 머리깃이
인디언 추장이 쓰는 모자와 비슷하다고
인디언 추장새라고도 부른다.
야생에서 살아가기에 지나치게
화려하게 분장한 광대 같아 보이지만
마냥 화려하기만 한 것은 아니다.

풀과 나무가 꽃과 잎으로 화려해지면
덩달아 화려해지고
나무가 잎을 떨구고
풀도 시드는 계절에는
깃털 색깔이 옅어진다.
둘레 자연과 조화를 이루며
아름다움을 추구할 만큼 현명하다.

잔디밭을 좋아하는 후투티
땅을 파며 먹이를 찾는다.
부리 끝에는 예민한 신경이 퍼져 있어
봄에는 애벌레를 쉽게 잡아먹지만
가을에는 먹이 잡는 것이 만만치 않다.
잔디밭에서 한동안 땅에 부리를 찍더니
훌쩍 날아 은행나무에 가 앉아 쉰다.

청딱다구리 _____
파도처럼 난다

북녘에서는 풀색딱다구리라고 하며
청딱다구리보다 더 쉽게 다가오는 이름이다.
수컷 이마의 붉은 반점이 두드러지지만
날개는 나뭇잎 빛깔과 비슷하고
아랫배는 나무줄기 빛깔과 비슷하다.

나무줄기를 타고 오른다.
더 올라갈 수 없을 만큼 오르면
옆 나무로 풀쩍 날아간다.
나무줄기를 타고 또 오르다
나무 속에 먹이가 있을라치면
꼬리깃을 세우고 몸을 버틴 채
부리로 나무를 쪼아 구멍을 낸다.
가늘고 긴 혀를 틈으로 집어넣어
먹이를 끄집어내어 입에 넣는다.
또 다른 나무로 날아가 사냥을 이어 간다.

나무에서 나무로 끊임없이
날아다니는 청딱다구리
파도처럼 날아다니며 꼼꼼하게
나무 속사정까지 살펴보니
나무를 누구보다 잘 알겠다.

금눈쇠올빼미 _____

두 눈 바탕이 가을 들판처럼 노랗다

농가 창고 지붕 끝에 어처구니처럼
꼼짝 않고 한참을 앉아 있다.
갑자기 훌쩍 날아 전봇대 완금에 앉더니
뽀오 뽀오 큰 소리로 호령한다.
다시 전깃줄 맨 위로 날아올라
목이 있나 싶을 정도로 짧은 목
좌우로 천천히 360도 돌리며 살펴본다.
먹이를 먹은 지 얼마 되지 않았는지
꼬리를 곧추세워 물찌똥을 찍 갈기고
태연하게 또 목을 천천히 좌우로 돌리다가
풀쩍 날아 나무숲 쪽으로 날아간다.

벌레나 곤충은 물론
새와 쥐까지 잡아먹는 올빼미지만
소쩍새만큼 작고 귀엽다.
고목이나 벼랑 같은 곳에서 지내다
해 질 녘에 주로 움직이는데
전봇대에 앉아 있기도 하고
때로 전깃줄에 대담하게 올라앉아
둘레를 살펴보기도 한다.
가을 들판을 내려다보는
두 눈의 노란 홍채가 뚜렷해
먹이를 결코 놓치지 않을 것 같다.

줄기러기 _____
머리에 줄 긋고
히말라야를
넘는다

낮에 다른 곳에서 먹이를 찾아
바쁘게 움직이던 기러기들이
벼 벤 논에 날아와 먹이를 보충한다.
서산에 해가 떨어질 즈음
천 마리가 넘는 기러기가 모여
소리를 내며 낟알을 쪼고 있다.
큰기러기도 있지만 대부분 쇠기러기
온통 갈색 깃털로 싸인 그들 사이에
두드러진 흰빛 줄기러기 한 마리가 있다.
한참 먹이를 쪼더니 고개 들어 주억거리며
소리를 내다가 풀쩍 뛰어올라 날아간다.

큰기러기보다 작고
쇠기러기보다 조금 더 크다.
인도에서 겨울을 나서 옛날에는
인도기러기라고 부르다가
머리에 난 줄 덕분에 줄기러기가 되었다.
봄이 되면 새끼를 치고자
눈 쌓인 히말라야를 넘어가는데
봉우리를 따라 오르내리며 날아간다.
워낙 높이 날아 공기가 부족하기 때문에
일직선으로 날아가지 않는다.
몽골이나 바이칼호수까지 간다.

노랑턱멧새 _____
사춘기 소년 같다

뾰족 솟은 검정 머리깃 때문에
사춘기 소년을 보는 듯하다.
머리카락 한 올이라도 흐트러지면
마치 세상이 끝날 것처럼
신경을 곤두세우고 있는 사춘기 소년
멋에 죽고 멋에 사니
머리카락에 힘을 잔뜩 줘 뿔처럼 솟았다.

사람들과 가깝게 지냈다.
멧새 무리 가운데 흔한 텃새이고
논밭 어디서나 쉽게 볼 수 있어
사람들이 잡아다 집에서 기르기도 했다.
새끼를 칠 무렵에는
다양한 가락으로 노래를 부르며
청춘의 흥을 으스댄다.

댕기물떼새 _____
녹색 깃털에 댕기가 솟아 있다

습지에 어떤 새들이 오는지
결정하는 것은 물 높이다.
물이 높으면 헤엄을 치거나
잠수를 할 수 있는 물새가 오고
물이 낮거나 바닥이 드러나면
펄에서 먹이를 찾는 물새가 찾아온다.
민물과 바닷물이 들락거리는 습지는
물이 높거나 낮거나 언제나 물새가 있다.
도요나 물떼새는 물이 낮거나
바닥이 드러날 때 찾아온다.

머리에 댕기처럼 생긴 깃이
하늘로 뻗어 있어 댕기물떼새다.
깃을 옆에서 보면
완만하게 오르다 끝부분에서 휘어
곡선처럼 보이고
앞에서 보면 양옆으로 넓게 퍼져 있다.
댕기물떼새 수컷은
광택이 나는 녹색 깃털과
높이 치솟은 댕기 덕분에
물떼새 중에서
가장 우아해 보인다.

멸종되었지만 되살린 크나큰 새다

하늘에 흰꼬리수리 한 마리 떠 있고
벼 벤 논에 기러기가 수천 마리다.
쇠기러기와 큰기러기가 대부분이고
흰기러기도 한 마리 섞여 있다.
기러기 뒤편으로 흑두루미 열 마리 정도
기러기 앞쪽 무논에 노랑부리저어새 무리
백로와 왜가리 흑꼬리도요와 민물도요가 있다.
그 사이를 황새 한 마리가 성큼성큼 걸으며
한참 동안 땅바닥에 있는 먹이를 쫀다.
공중으로 날아 한 바퀴 돌아본 뒤 내려와
다시 먹이 찾아 긴 다리를 내딛는다.

몸집이 큰 새라는 뜻인 우리말
'한새'에서 이름이 왔다고 한다.
마을에 있는 큰 나무에 둥지를 틀고
사람과 더불어 살던 새였다.
사람들은 행운을 가져다주는 새로 여기고
텃새인 것을 당연하게 여겼다.
전쟁 때문에 큰 나무가 사라지고
환경 오염으로 살아가기 힘들어진 데다
희귀한 새를 박제하는 일이 유행해
1994년 사냥꾼 총에 맞아 멸종했다.
1996년부터 복원 사업을 해서
2015년부터 자연에 풀어 주고 있으나
살 환경은 충분히 마련해 주지 못했다.

쇠오리 _____
가장 오래 살아남을 것이다

습지가 점점 살기 힘든 곳이 되어
도저히 살아갈 수 없는 지경이 되면
가장 나중에 남는 새는 누구일까.
가장 많은 수가 머무는 큰기러기
천연기념물 개리나 노랑부리저어새일까.
꼬리를 흔들고 다니는 백할미새
네 계절 볼 수 있는 왜가리나 백로일까.
텃새 흰뺨검둥오리
맹금 말똥가리나 황조롱이일까.

작은 몸집으로 여러 마리가 부리를
땅에 대고 밀고 다니며 먹이 찾는
쇠오리가 가장 유력하겠다는 생각이 든다.
비록 작은 오리라서 쇠오리지만
겨울 철새 중 가장 먼저 찾아온다.
불규칙하고 빠르게 날아다니다가
두 다리를 쭉 뻗어 내려앉는다.
낮에는 쉴 때가 많다고 알려졌지만
부지런히 움직일 때가 대부분이다.

검독수리 _____

고라니를 사냥하기도 한다

자기 몸집보다 큰 고라니를
습격하기도 하는 검독수리
언덕배기 소나무 가지에 앉아 있다.
발로 얼굴을 긁기도 하고
부리를 등 뒤로 돌려 깃털을 가다듬기도 한다.
몸을 돌려 산 쪽을 바라보더니
다시 논 쪽으로 몸을 돌려 살펴보다가
풀쩍 날아 큰 날개를 펄럭이며 날아간다.
작은 점이 되어 논으로 내려앉아
쫓아가 보니 흰꼬리수리가 옆에 앉아 있다.
발톱에는 어김없이 먹잇감이 있다.

내장산 천마산 두타연
영월 동강 등에서 번식한 텃새였지만
지금은 우리나라에서 새끼를 치지 않고
적은 수가 찾아오는 겨울 철새다.
천연기념물 243-2호로
해마다 천수만에 찾아오고
사냥에 성공하는 모습을 봤다.
수리 중에서 큰 편에 속하고
뒷머리에서 목까지 황갈색이며
활공할 때 날개를 위로 약간 들어올려
밋밋한 V자 형태를 이룬다.

새가 푸른 하늘을 배경으로
힘차게 날갯짓하는 모습은
음악처럼 가슴을 뛰게 한다.
어렸을 때 날고 싶어 한 욕망이
다시 살아나 두둥실 마음을 달뜨게 한다.
그러나 새는 몸을 가볍게 하려고
할 수 있는 것을 다했지만
여전히 하늘 나는 것은 힘들어
날갯짓을 한 번 하려고 하면
엄청난 에너지를 써야 한다.

쇠기러기 _____
음악처럼 날아간다

쇠기러기 네 마리가 날아간다.
수십 마리가 무리 지어 날 때는
한 줄 또는 V자 모양으로
힘차게 날갯짓하며 날아가는데
네 마리 한 가족은 높고 낮은 음표처럼 제각각
높이를 달리하며 날아간다.
너무 서두르지 않고 날아가는
다정한 한 가족의 비행
그들의 날갯짓에 밀린 공기 흐름 따라
아름다운 음악이 퍼져 나간다.

겨울입니다

하얀 겨울을 휘휘 노래한다

굴뚝새 _____
굴뚝같은
그리움이다

겨울에 사람이 사는 집
굴뚝을 들락날락한다고 굴뚝새다.
거기에 겨울을 나는 곤충이 있어
잡아먹으려고 그런다.
어려서 굴뚝새를 잡은 적이 있다.

여름에는 산속 개울가에서 지내는데
계곡 둘레 나무뿌리가 드러난 곳이나
자른 나무를 쌓아 놓은 곳에 있다.
꼬리가 등에 맞닿도록 한껏 몸을 젖히며
찟찟 두 음절로 소리를 낸다.

이제는 보기 어려워진 굴뚝새
습지 갈대밭 바깥쪽에 보이는데
지난해에도 본 곳이다.
쇠울타리 안쪽 거의 바닥에서
낮게 움직이며 먹이를 찾는다.

참새보다 몸집이 작지만
딱정벌레 같은 곤충이나 곤충 알
동물성 먹이를 찾아다닌다.
어려서 굴뚝새랑 같이 놀던
동무들처럼 늘 보고 싶은 새다.

체면을 구기다

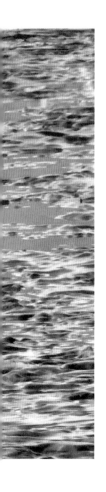

천연기념물 323-1호
성질이 사납다고 알려졌다.
겨울 철새이지만
새끼를 치는 숫자가 늘어나고 있다.
옛날에는 꿩을 사냥하는 대표 새였을 만큼
사냥 솜씨가 뛰어나다.
먹이를 잡을 때는 소리 없이
먹잇감 가까이 날아간 다음
다리를 쭉 뻗어 잽싸게 낚아채는데
한번 잡으면 놓치는 일이 거의 없다.

습지에 앉아 쉬던
오리 수백 마리가 한꺼번에 떠오른다.
뒤이어 참매 한 마리 습지로 날아들어
큰부리큰기러기 무리 위를 빙빙 돌지만
그들은 오리처럼 호들갑을 떨지 않는다.
노랑부리저어새와 대백로 무리도
아랑곳하지 않고 쉴 따름이다.
머쓱한 참매는 개흙에 내려앉아 잠시 쉬다가
훌쩍 날아올라 노랑부리저어새 위에서
위협하는 몸짓을 하고는 그냥 날아간다.

찌르레기 _____
찌르 찌르 소리 내며 날아다닌다

이른 아침에 빨간 열매를 먹으려고
열두 마리가 팥배나무에 달라붙었으나
직박구리 두 마리가 공격해 도망갔다.
한낮에는 천적이 없겠거니 여기며
가지 잘린 은행나무에
일곱 마리가 앉아 동정을 살피지만
사람들이 많이 지나다닌다.
결국 직박구리와 사람 때문에
열매에 부리 한번 대지 못하고 떠났다.
열매가 아직 달려 있으니 또 올 수 있다.

이튿날에도 무리 지어 다시 찾아왔다.
번식기 무렵에는
한 쌍이 함께 다니며
짝짓기를 하고 새끼를 키운다.
농막 지붕에 있는 작은 구멍에
알을 낳고 키우는 것을 본 적이 있다.
그때가 지나면 떼를 지어
찌르 찌르 소리를 내며 날아다닌다.
이른 아침과 저녁 무렵에
특히 요란한 소리를 내며 다닌다.

부리 끝으로 먹이 움직임을 감지한다

천연기념물 205-2호

겨울 철새 노랑부리저어새는

여름 철새 저어새와 비슷하지만 다른 종이다.

때로 목숨을 건 사랑의 전사처럼

홀로 남아 저어새 무리와 여름을 나며

종을 뛰어넘는 짝짓기를 하기도 한다.

겨울이면 거의 날마다 습지에 있다.

마흔 마리 정도까지 모여 있기도 하니

조금만 환경을 나아지게 하면

사랑스러운 모습을 더 많이 볼 수 있겠다.

갯벌이나 얕은 냇물에서

혼자 또는 무리 지어 지낸다.

물이 많지 않은 겨울 습지에는

아침마다 볼 수 있고

안개가 끼면 숫자가 늘어난다.

부리를 좌우로 저으며

움직이는 먹잇감을 감지해

먹이를 잡는 것이 저어새와 같다.

급할 때 날개를 파닥이며 뛰어다니는 것도

한쪽 다리로 서서 고개를 돌려

부리를 등에 얹고 쉬는 것도 마찬가지다.

하천에 돌처럼 앉아 있다

해마다 겨울이면 광릉수목원에 찾아오는
청도요는 하천 돌무더기 옆에 있으면
돌이라도 된 것처럼 찾기 힘들다.
수목원이 아닌 곳의 작은 하천
청도요가 부리를 물에 묻고는
돌처럼 움직이지 않는다.
한참을 눈동자만 굴리더니
몸을 가볍게 들었다 났다 되풀이하며
발가락에 무게를 줬다 뺐다 하는 동시에
바위에 부리를 콕 콕 찔러 먹이를 찾는다.

사람이 들을 수 없는 주파수
음악에 맞춰 춤이라도 추는 듯
몸을 가볍게 들었다 났다 되풀이하며
몸을 움직이는 청도요는
동북아시아 산림에 퍼져 살다가
우리나라에 10월 초순에 와서
4월 중순까지 머문다.
드물게 찾아오는 겨울 철새이자
이동 시기에 볼 수 있는 나그네새다.
깍도요류 중에서 가장 몸집이 크고
다른 깍도요류와 달리 어두운 갈색이다.

세상에 큰 동그라미를 그린다

독수리

강화도에서 교동도로 넘어가자마자
북쪽에서 독수리가 날아온다.
북녘에서 평화의 소식을 물고 온 듯 반갑다.
조금 뒤 독수리가 또 한 마리 날아와
선회하며 남쪽으로 높이 날아간다.

하늘에서 빙글빙글 원을 그리며
점점 더 커다란 원을 그리며
고도를 높이는 독수리를 보면
세상에 보내는 긍정의 신호 같다.
세상에 큰 동그라미를 그리는 것 같다.

독수리는 대머리수리라는 뜻
스스로 사냥하지 못해
죽어 있는 동물만 먹어야 하는 운명이지만
해마다 우리나라를 찾아오는 손님이다.
먹이를 찾아 먼 길 마다하지 않는다.

동물 사체가 적은 겨울 들판에서
독수리가 굶주리지 않게
닭이나 돼지 내장 같은 먹이를
뿌려 주는 사람들이 있다.
덕분에 독수리의 동그라미를 볼 수 있다.

흰꼬리수리 _____
촘촘한 겨울 하늘을 웅장하게 채운다

오리와 기러기가 와글바글한 습지
흰꼬리수리가 먼 하늘에서 날아온다.
습지가 꽝꽝 얼어붙었을 때
흰꼬리수리가 촘촘한 공기를 뚫고 날아와
큰 날개를 접고 습지에 내려앉는 것은
아주 드물게 볼 수 있는 광경이다.

천연기념물 243-4호
흰꼬리수리 한 마리 웅장하게 날아온다.
새들이 있지 않은 곳에 앉아 있더니
오리들이 몰려 있는 곳으로 날아간다.
한꺼번에 날아오르는 오리 떼 기러기 떼
대백로와 노랑부리저어새 따위로 소란스럽다.
흰꼬리수리는 사냥에 성공하지 못한다.
오리 위를 한 바퀴 돌더니
습지 한가운데 얼음 위에 앉는다.
얼마 지나지 않아 까치 두 마리가
흰꼬리수리 곁으로 다가가 알짱댄다.
몸을 서로 부딪치지는 않지만
흰꼬리수리한테는 매우 성가신 존재다.
까치들은 흰꼬리수리가 아예 날아갈 때까지
곁을 떠나지 않을 태세다.

고독한 사냥꾼이다

홀로 물끄러미 서 있다가
큰 마음먹고 물로 들어가
겅중겅중 돌아다니며 물속을 들여다보지만
날카로운 부리로 찍어 올리는
물고기 비늘을 보지 못했다.
사냥보다 고독을 즐기는 건가.
곁에서 헤엄치는 흰뺨검둥오리 무리
쇠오리 무리와 논병아리
쇠백로가 걸어 다니기도 하는데
다시 가만히 서 있다.

백로 무리 중에 가장 크다.
왜가리보다 큰 몸집으로
발돋움을 한 뒤 날개를 펄럭인다.
다른 백로들이 여름 철새인 데에 반해
중국 동북부와 러시아에서 새끼를 치고
겨울을 나기 위해 우리나라에 온다.
다리가 시작하는 부분이 연한 노란색이라
검은색 중대백로와 구별된다.
습지 안에 오글오글 모여 잘 때
노랑부리저어새와 쇠백로가 섞여 있다.

검둥오리 _____
겨울 동해에 점을 찍다

1 8 4

겨울 햇살이 밀도 높은 공기를 거쳐
바다에 닿아 쪽빛을 연출한다.
새 깃털도 빛나게 한다.
아야진에서 본 흰줄박이오리는
흙빛 바위에서 두드러지게 환하고
홍머리오리는 이마에 줄이 노랗다.
세가락도요 무리는 종종종 가볍고
바위섬에 앉아 있는 재갈매기 무리 속에
수리갈매기 한 마리 뚜렷하다.
세가락갈매기 한 마리 자맥질을 하고
큰회색머리아비는 멀찍이 떨어져 여유롭다.

봉포항 뿔논병아리 흰뺨오리
청초호 댕기물떼새 검은머리흰죽지
경포호 흰비오리 바다비오리가 볼 만하다.
눈에 가장 오랫동안 담은 새는
부리 안쪽만 노랗고 온통 검은 오리다.
사람이 살펴보면 먼 바다로 나가고
살펴보지 않으면 바닷가로 나오며
적정 거리를 유지한다.
푸르른 파도에 끊임없이 흔들리며
먹이를 찾아 바다 속으로 뛰어들기도 하며
암수가 함께 몰려다닌다.

짝과 평생을 함께하는 텃새다

우리나라 부엉이와 올빼미 무리 가운데
몸집이 가장 큰 수리부엉이는 눈꺼풀이
위 아래 앞으로 이루어져 있다.
윗눈꺼풀은 눈을 깜박일 때 쓰고
아랫눈꺼풀은 잠잘 때 쓰며
앞눈꺼풀은 눈을 청소할 때 쓴다.
한겨울에 새끼치기에 들어가
가장 많은 먹이가 필요한 때를
다른 동물이 새끼를 치는 시기에 맞춘다.
날이 어두워지면 움직이기 시작해서
해가 뜰 무렵까지 먹이를 찾아다닌다.
넓고 둥근 날개로 소리 없이 날면서
날카로운 발톱으로 먹이를 움켜쥔다.
새끼치기를 위해서만이 아니라
사냥 기간에도 짝짓기를 하며
부부의 깊은 사랑을 확인한다.
수컷은 암컷을 믿고 사냥에 열중하고
암컷은 새끼를 키우는 일에 집중한다.
평생을 함께하는 수리부엉이 부부 삶터가
공사장이 될 뻔했지만 힘써 막아 냈다.
수리부엉이 서식지를 지킨
좋은 본보기가 파주에 있다.

소한 대한 지나 본격 추위다.

산속은 더 추워 눈이 녹지 않아

걸을 때마다 뽀드득 뽀드득 소리가 난다.

정겨운 소리지만 고요한 숲에서

새소리는 들리지 않고

눈 밟는 소리가 너무 크게 들린다.

산으로 들어가지 않고 하천 쪽으로 나가

덤불이 있는 숲을 자세히 살펴보니

어치가 높다란 나무 위에 앉아 쉬고

멋쟁이새 세 마리 날아다닌다.

멋쟁이새 _____
하얀 겨울을 휘휘 노래한다

멋있게 생긴 새라고 멋쟁이새다.

생김새는 물론이고 노랫소리가

휘파람을 부는 듯 아름다운 새로 알려져

예부터 사람들이 많이 길렀다.

새장 안에서도 잘 산다.

몽골이나 러시아에서 짝짓기를 하고

새끼를 치고 난 가을이면

우리나라에 찾아와 겨울을 난다.

번식지에 눈이 많이 내리고

추운 해에 우리나라에 많이 온다.

왜가리 _____
먹성이 좋아 논병아리까지 삼킨다

와악 와악

왜액 왜액 소리를 낸다고 왜가리

열두 달 내내 볼 수 있다.

물에 들어가 혼자 서서

움직이지 않고 눈으로 먹잇감을 살피는데

물고기 새우 개구리 들을 잡아먹는다.

드렁허리를 잡아먹는 것도 봤다.

때로 욕심이 지나쳐 큰 민물고기를 잡았다가

삼키지 못하고 끝내 포기하는 것을 보기도 했다.

먹성이 얼마나 좋은지

이번에는 논병아리를 입에 물었다.

쇠오리 청둥오리 흰뺨검둥오리 몰려 있고

큰부리큰기러기도 무리 지어 있는데

그들과 조금 떨어진 곳에서

왜가리가 논병아리를 물었다.

힘들어하면서도 조금씩

조금씩 목구멍 쪽으로 당기며

맹금이 되어 논병아리를 삼킨다.

자연에 대한 존경심을 회복하고자
자연물에 풀꽃상을 드리는 단체
풀꽃세상을 위한 모임이다.
첫 수상을 바로 비오리가 했으니
철새가 텃새가 된 동강의 비오리다.

비오리 한 마리 습지에 날아와
물에 들더니 곧바로 얼음 위로 오른다.
미끄덩, 발이 자꾸 미끄러지는데
마침내 몸을 일으켜 자세를 바로잡더니
날개를 퍼덕이며 물기를 털어 낸다.

풀꽃세상을 위한 모임
회원을 풀씨라 불렀다.
한 명 한 명이 작은 풀씨가 되어
생명에 대한 감수성을 회복하고자 했다.
비오리는 감수성을 자극할 만한 새다.

뒤통수에 난 댕기깃이
빗으로 빗은 것처럼 가지런해서
빗오리라고 했던 것이 바뀐 이름이다.
부리가 붉고 끝이 구부러진 데다
가장자리에 톱니가 있어 물고기를 잘 잡는다.

비오리

풀꽃상을 첫 번째로 탔다

흰기러기 _____
홀로 흰 깃털이 귀족처럼 돋보인다

해가 심학산 위로 솟아나기 전
다섯 마리 일곱 마리 수십 마리
어쩌다가 수백 마리 한꺼번에 날아올라
일터를 찾아 힘차게 날갯짓을 한다.

게으름을 피우기도 한다.
기온이 뚝 떨어지고
바람까지 거세게 불면
몸을 웅크리게 되는 날씨
날갯짓을 하는 시간을 자꾸 늦춘다.

쇠기러기와 큰기러기 무리 속에서
흰기러기도 날아오르는 시간을
최대한 뒤로 미룬다.
자신의 보호막이 없다고 여길 때
비로소 기러기 무리에 섞여 날아간다.

기러기 무리에 둘러싸여 있어도
흰색 때문에 눈에 쉽게 띈다.
첫째 날개깃의 검은색을 제외하고
전체가 흰색이고
다리와 부리는 분홍색이다.

흰머리오목눈이 _____

잠자는 숲을 깨운다

오목눈이와 몰려다니는 작은 새지만
잠자는 숲을 깨우기도 한다.
오목눈이보다 환한 빛으로
오목눈이 무리와 함께 몰려다니며
찌르 찌르 찌르 찌르 소리를 낸다.

그제서야 상모솔새도 깨어나고
박새 쇠박새 진박새 곤줄박이
동고비 쇠딱다구리 아물쇠딱다구리
오색딱다구리 청딱다구리 노랑지빠귀
멈춰 있던 새들이 날갯짓을 한다.

흰머리오목눈이 한 마리는
오목눈이와 마치 한 쌍처럼 움직인다.
작은키나무에서 큰키나무로 옮기더니
밑에서부터 줄기를 타고 오르는데
이삼 미터씩 번갈아 가며 날아오른다.

맨 꼭대기까지 오르내리며
상대와 호흡을 맞추기 수차례
흰머리오목눈이와 오목눈이는
진짜 눈이 맞은 것일까
한꺼번에 옆 나무로 훌쩍 날아간다.

울음소리가 습지를 울린다

습지의 재갈매기 두 마리
서로 가까운 곳에 자리하고 있다.
먹이를 많이 잡으라고 기원하며 자리를 뜨는데
갑자기 날카로운 소리가 난다.
키 작은 한 마리가 큰 녀석 부리를 물었다.
부리를 꽉 물고 당기고 밀고 하다가
함께 풀쩍 뛰어올라 날개를 파드닥대기도 하며
마치 닭싸움을 하는 듯하다.
그러더니 이번에는 상대방이 부리를 물었다.
서로 부리를 물고 겨루어
힘의 기울기가 왔다 갔다 하기를 수차례
키 작은 녀석한테 완전히 넘어간다.
부리를 놓지 않은 채 큰 녀석 등에 올라타고
바닥에 쓰러뜨리기도 한다.
가까스로 빠져나간 큰 녀석과
잠깐 싸움을 멈추는 듯하더니
다시 공격을 하려고 한다.
이미 기가 꺾인 큰 녀석은
상대를 향해 붉은 울음을 터뜨린다.
뒤로 물러나 상처를 물에 씻고
부리도 몇 번 헹구더니
훌쩍 날아올라 맞은편 습지로 간다.
키 작은 녀석은 본체만체한다.

섬참새
──

울릉도에서 새끼를 친다

큰 추위가 몰아치리라 예보했지만
동해안 항구마다 봄기운이 물씬 난다.
붉은 동백꽃이 피었고
홍매화가 활짝 피어났다.
나뭇가지마다 물기가 어렸다.

울릉도에서 새끼를 치는 새
겨울이면 육지에서도 볼 수 있다.
울릉도랑 가장 가까운 울진이 아니라
동해 삼척 강릉 등에서 주로 보이니
북쪽에서 온 새들이 아닌가 싶다.

수십 마리가 무리 지어 다닌다.
전깃줄에 다닥다닥 앉은 방울새처럼
빼곡하게 앉아 깃털을 다듬는다.
먹이터인 논에 내려앉아 먹고 난 뒤
날아올라 가로수 배롱나무에 앉는다.

다시 논에 내려앉아 먹이를 먹고
화르륵 날아올라 뽕나무에 앉는다.
끊임없이 좌우로 움직이는 고개
경계를 늦추지 않는 것일 테고
무리에 몇 마리 참새가 끼어 있다.

이름 참 재미있다.

특성이 그대로 드러난다.

실제로 나무줄기 밑에서부터

꼬리를 나무에 지탱해 잽싸게 기어오른다.

나무 꼭대기까지 올라갔다가

옆 나무로 훌쩍 날아가 다시

밑에서부터 발발거리며 날렵하게 오른다.

나무껍질 속에 있는

곤충이며 거미를 잡아먹는다.

나무발발이 _____

발발거리며 나무줄기를 오른다

13.5센티미터 작은 몸으로 발발거리며

나무에 오르는 모습을 보기는 쉽지 않다.

워낙 작은 몸집인 데다

몸 윗면과 날개깃도 황갈색이라

겨울나무와 구분하기 어렵다.

회백색 점이나 검은 줄무늬조차

그다지 도움이 되지 않는다.

그래서 모습을 드러내 주면

탄성을 지르지 않을 수 없다.

큰부리큰기러기 ─────

먹어야 할 때를 안다

대부분 무리에 섞여 있는데
큰부리큰기러기 두 마리만 따로 있다.
아침이나 낮이나 바짝 붙어서
구석진 자리를 지키고 있다.
청둥오리 한 쌍이 거의 같이 있고
쇠오리 꺅도요 백할미새 정도가 이웃이다.
저녁에는 큰기러기 떼가 찾아온다.
두 마리 중 한 마리가 식물 뿌리를 캐면
다른 한 마리는 고개를 들고 있다.
서로 역할을 바꾸며 보초를 서니
동시에 먹는 일이 없다.

큰기러기보다 몸이 크고 부리가 길며
이마와 부리의 경사가 완만하다.
큰기러기가 주로 농경지에서
벼 이삭이나 잡초 목초 등을
무리를 이루어 먹는 것에 반해
큰부리큰기러기는 갈대 마름 줄 같은
수생 식물이 많은 습지를 좋아한다.
높은 목과 긴 부리를 써서
뿌리와 줄기 종자를 먹는다.
그렇지만 먹이가 부족해
두 종 먹이가 비슷해지고 있다.

황여새 _____

보헤미안처럼 찾아오다

멀리 찾아가도 보지 못하다가
생각하지 못한 곳에서 만나는 새가 있다.
황여새가 그렇다.
햇살 환하지만 바람 거센 오후
습지 둘레는 추워 몸이 달달 떨리고
크기가 십 미터가 넘는 버드나무
어지러울 정도로 나뭇가지 흔들린다.
꼭대기에는 황여새 한 마리
아래에 한 마리 그리고 여섯 마리
합해 여덟 마리 무리가 가까이 와 주어
찌리 찌리 소리까지 들려준다.
예전에는 흔하게 볼 수 있었으나
갈수록 살 만한 곳이 줄어들고
먹이가 줄어 요즘에는 보기 힘들다.
해마다 찾아오는 개체 수 차이가 크고
무리에 홍여새가 끼어 있기도 한다.
향나무와 찔레 열매를 비롯한
나무 열매와 새순을 먹는다는데
습지 근처 커다란 산수유나무가 있어
붉은 열매를 떠나지 않는다.

큰회색머리아비 _____

기름이 묻어 날갯짓을 할 수 없다

동해 푸른 바닷물이 쏴아아 쏴아아

들어왔다 나갔다 되풀이하는 광경을 보면

답답하던 가슴이 탁 트인다.

새로 낯을 익히거나 깃털이 아름다운 새까지 보면 날아갈 듯하다.

재갈매기 무리 속 깃털 진한 큰재갈매기

해변에서 홀로 당당히 선 작은흰갈매기 어린 새

꼬리 끝 색깔이 까맣지 않은 수리갈매기

발이 까만 세가락갈매기

풀쩍 뛰어 잠수하는 큰논병아리

부리가 노란 검둥오리 무리

흰줄박이오리 홍머리오리 세가락도요

가슴을 뛰게 한 새의 목록이다.

가슴 아픈 일도 없지 않으니

왼쪽 다리가 댕강 잘린 괭이갈매기

배에서 흘러나온 기름이 묻어

자유롭게 날갯짓을 못하는 민물가마우지

큰회색머리아비는 깃털이 꺼멓게 되었다.

기름이 묻어 자유롭지 못한 날개

사냥을 하지 못해 먹이를 먹지 못하니

모래톱을 산책하는 사람이 바로 옆을 지나도

몸을 일으켜 도망갈 힘이 없다.

힘이 빠져나가는 것을 어쩌지 못해

결국 해변 갈대밭 같은 곳에 들어가

홀로 최후를 맞을 수밖에 없는 운명이다.

민물에 사는 검은(가마) 깃털(우지)이다.

나무 위에 무리 지어 앉아 똥을 뿌려

나무와 풀을 하얗게 말려 죽이거나

다리 밑 난간에 떼 지어 모여 앉아

꽥꽥거리는 모습을 본 사람이라면

곱지 않은 눈으로 볼 수도 있겠다.

개체 수가 늘어나 물고기를 너무 많이 잡아먹으니

물고기를 잡아 살아가는 어부들 속은 타 들어가겠다.

그렇더라도 중국과 일본에서 목에 고리를 걸어

먹이를 삼키지 못하게 한 다음 잠수를 시켜

물고기를 잡게 하는 사냥은 너무 가혹하다.

자세히 보면 부리는 흰색에 가깝다.

뺨과 멱도 흰색이고 눈은 빛나는 녹색이다.

눈 아래에 작은 주황색 반점이 있다.

몸의 윗면은 푸른 광택을 띤 갈색이다.

뒷머리와 뒷목에 털 모양 흰색 깃털을

볼 수 있으니 검다고만 할 수 없다.

물속에서 빠른 속도로 사냥한 뒤

물에서 나오면 햇빛 잘 드는 곳에서

날개 펴고 깃털을 말리는 모습은 우아하다.

물 위를 파바바바 달리다 한 줄로

날아가는 모습은 경쾌하기 그지없다.

민물가마우지 ─

검은 깃털을 활짝 펴고 말린다

흰멧새

바람 찬 호수에서
홀로 겨울을 난다

호수가 바다보다 넓다.
호수가 바다보다 춥다.
어찌나 바람이 심하게 부는지
바닷바람보다 강바람보다
훨씬 강력하고 찬 바람이다.

인공 호수에 길을 내려고
한가운데 쌓은 제방에
바람을 견디며 흰멧새 홀로 지낸다.
사람들이 뿌려 놓은 먹이를
눈치를 보며 조금씩 쪼아 먹고 있다.

사람이 있으면 제방 아래쪽
몸을 사리며 쉬거나 거닐고
사람이 없으면 바위 위나
흙길에 뿌려진 들깨나 풀씨 따위
먹으러 자분자분 올라온다.

호수에 떠 있던 뿔논병아리 한 마리
사냥을 하러 물속으로 들어가자
세상이 텅 빈 듯 바람 소리뿐이다.
먹이 때문에 추운 호수를
떠나지 못하는 고아 한 마리 있다.

넓적부리 _____

물구나무서서 먹이를 찾는다

넓적하고 긴 부리 때문에
넓적부리라는 이름을 얻었지만
넓적부리가 달린 얼굴보다는
엉덩이를 더 많이 보여 준다.
물속에 물구나무서서 먹이를 찾다가
잠깐 얼굴을 보여 주고는 다시
재빨리 물구나무서서 먹이를 찾는다.
물구나무설 정도로 물이 있어야 하는데
요즘 습지는 바닥을 드러낼 때가 많아
물이 들어찰 때라야 서너 마리 볼 수 있다.

중랑천이 한강과 만나는 곳에 가면
겨울 강에는 수십 마리씩 모여
각자 또는 한 쌍이 같이 물구나무서는
특이한 광경을 여러 군데서 볼 수 있다.
장소를 옮길 때 보면 수컷 머리에는
어두운 녹색 광택이 있으며 눈은 노랗다.
배에 적갈색 무늬가 있다.
잔잔한 수면에서는 빙글빙글 돌며
물보라를 일으켜 떠오르는
물풀이나 곤충 따위를 먹는다.

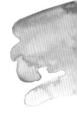

긴꼬리홍양진이 _____

언제까지라도 눈 맞추고 싶을 만큼 어여쁘다

216

큰부리큰기러기 무리가 커지고
개리가 더 자주 눈에 띄는 것은
함께 모여 떠날 날이 다가오기 때문이다.
넓적부리 흰죽지 따위가 눈에 더
띄는 것도 계절 변화 때문이리라.
박새 쇠박새 소리 커지고
노랑턱멧새 흥겨운 노랫가락이 훨씬 풍성해진다.
검은머리쑥새 북방검은머리쑥새
대담하게 나무 위에 앉거나
까치가 둥지를 짓기 시작한 것도
다가오는 때를 준비함이다.
붉은머리오목눈이 떼가 지나간 자리
긴꼬리홍양진이 한 마리
쇠무릎 씨앗을 따 먹는다.
풀대가 튼튼하지 않은 것을 아는지
처진 버드나무 가지를 꽉 잡고
고개를 아래로 향한 채
위태로운 자세로 균형을 잡고
씨앗만 쏙쏙 빼먹고 있다.
그러다가 참느릅나무에 올라
열매를 하나하나 따 먹는다.
몸집이 작고 꼬리가 길며
붉은색 기운이 있는 긴꼬리홍양진이
언제까지라도 눈 맞추고 싶은 어여쁨이다.